D0986557

SCOOTER TERREUR

SCOOTER TERREUR

**Texte et illustrations
de
Richard Petit**

Les presses d'or

© 2000 *Les presses d'or*

Isbn : 1-552253-26-0

Aucune partie de ce livre ne peut être reproduite
ou copiée sous quelque forme que ce soit
sans l'autorisation écrite
du propriétaire du copyright.
Dépôts légaux 4e trimestre 2000
Imprimé au Canada
Bibliothèque nationale du Québec
Bibliothèque nationale du Canada

Les presses d'or (Canada) inc.
7875, Louis-H.-Lafontaine
Bureau 105
Anjou (Québec)
H1K 4E4
Téléphone : (514) 355-7703
Télécopieur : (514) 354-3144
Courriel : marketing@lespressesdor.com
Site Internet : www.lespressesdor.com

TOI!

Tu fais maintenant partie de la bande des
TÉMÉRAIRES DE L'HORREUR.

OUI ! Et c'est toi qui as le rôle principal dans ce livre où tu auras bien plus à faire que de tout simplement... LIRE. En effet, tu devras déterminer toi-même le dénouement de l'histoire en choisissant les numéros des chapitres suggérés afin, peut-être, d'éviter de basculer dans des pièges terribles ou de rencontrer des monstres horrifiants.

Aussi, au cours de ton aventure, lorsque tu feras face à certains dangers, tu auras à jouer au jeu des **PAGES DU DESTIN...** Par exemple, si dans ton aventure tu es poursuivi par une espèce de monstre dangereux et qu'il t'est demandé de TOURNER LES PAGES DU DESTIN afin de savoir si ce monstre va t'attraper, la première chose que tu dois tout de suite faire, c'est de placer ton doigt tout tremblotant ou un signet à la page où tu es rendu, pour ne pas la perdre, car tu auras à y revenir. Ensuite, SANS REGARDER, tu fais glisser ton pouce sur le côté de ton Passepeur en faisant tourner les feuilles rapidement pour finalement t'arrêter AU HASARD sur l'une d'elles.

Maintenant, regarde au bas de la page de droite, il y a plusieurs petits pictogrammes. Pour savoir si le monstre t'a attrapé, il n'y en a que deux qui te concernent :

celui de l'espadrille et celui de la main.

Pour le moment, ne t'occupe pas des autres, ils te serviront dans d'autres situations. Je t'explique tout un peu plus loin.

Comme tu as peut-être remarqué, sur une page, il y a une espadrille, et sur la suivante, il y a une main et ainsi de suite, jusqu'à la fin du livre. Si, par chance, en tournant les pages du destin, tu t'arrêtes au hasard sur le pictogramme de l'espadrille, bravo, tu as réussi à t'enfuir. Là, retourne au chapitre où tu étais rendu, il t'indiquera le numéro de l'autre chapitre où tu dois aller pour fuir le monstre. Si tu es le moindrement malchanceux et que tu t'arrêtes sur le pictogramme de la main, eh bien, le monstre t'a attrapé ; là encore, reviens au chapitre où tu étais, mais tu devras par contre te rendre au chapitre indiqué où tu tomberas entre les griffes du monstre.

Lorsqu'on te demandera de TOURNER LES PAGES DU DESTIN, tu n'utiliseras, selon le cas, que les DEUX pictogrammes qui concernent l'événement. Voici les autres pictogrammes et leur signification...

Pour déterminer si une porte est verrouillée ou non :

 Si tu tombes sur ce pictogramme, cela signifie qu'elle est verrouillée ;

 Si tu t'arrêtes sur celui-ci, cela signifie qu'elle est déverrouillée.

S'il y a un monstre qui regarde dans ta direction :

 Ce pictogramme veut dire qu'il t'a vu ;

 Celui-ci veut dire qu'il ne t'a pas vu.

En plus, tu pourras te servir de ton super pistolet à eau bénite afin de te débarrasser des méchantes créatures que tu vas rencontrer tout au long de cette aventure. Cependant, pour les atteindre, tu auras à faire preuve d'une grande adresse au jeu des pages du destin. Comment ? C'est simple : regarde dans le bas des pages de gauche, il y a un crâne et une éclaboussure d'eau.

Le crâne représente toutes les créatures qui t'attaquent. Plus tu t'approches du centre du livre, plus l'éclaboussure se rapproche du crâne. Lorsque justement, dans ton aventure, tu fais face à une créature malfaisante et qu'il t'est demandé d'essayer de l'atteindre avec ton pistolet à eau bénite pour t'en débarrasser, il te suffit de tourner rapidement les pages de ton Passepeur en essayant de t'arrêter juste au milieu du livre. Plus tu te rapproches du centre du livre, plus l'eau bénite se rapproche du monstre. Si tu réussis à t'arrêter sur une des cinq pages centrales portant cette image, eh bien bravo, tu as visé juste et

tu as réussi à atteindre de plein fouet la créature qui te cherchait querelle et, de ce fait, à t'en débarrasser. Tu n'as plus qu'à suivre les instructions au chapitre où tu étais selon que tu l'as touchée ou non.

Ta terrifiante aventure débute au chapitre 1. Et n'oublie pas : une seule finale te permet de terminer... *SCOOTER TERREUR.*

1

Il est 23 h 17. Ça fait une bonne heure que tu essaies de t'endormir. Tourne d'un côté, tourne de l'autre. Pour la xième fois, tu frappes ton oreiller d'un bon coup de poing et tu enfonces ta tête dans le trou. Les yeux fermés, tu te demandes si ce soir, oui, ce soir, tu vas t'endormir avant que minuit arrive et ainsi pouvoir enfin profiter d'une nuit complète de sommeil. Ça se pourrait bien, si tu réussis toutefois à t'assoupir avant tu sais quoi…

Les minutes passent. Tu combats cette envie d'ouvrir les yeux pour regarder l'heure qu'il est, car tu sais que si tu en ouvres un seul, tout sera à recommencer. Mais l'angoisse l'emporte sur les muscles de ton visage et force tes paupières à s'ouvrir : il est maintenant 23 h 46. Tu ne réussiras jamais à t'endormir avant que ces restants de cadavres en scooter apparaissent dans les rues de Sombreville.

Dans une ultime tentative, tu enroules ton oreiller autour de ta tête et tu serres très fort. Tu essaies de penser à autre chose, à quelque chose de drôle par exemple, comme cette fois où Marjorie était arrivée à l'école avec son chandail à l'envers, des bas de couleurs différentes, arborant sans le savoir… UNE MOUSTACHE DE LAIT !

Cesse de rire et rends-toi au chapitre 26.

2

SPLOURB ! Marjorie a atteint de plein fouet le monstre qui se consume sous vos yeux, **PSSSSSSSS !**

Brrr… Ce truc visqueux t'a donné la chair de poule…

Le sol a cessé de trembler, mais un gros nuage noir et gonflé d'eau survole le cimetière et vide son chargement. Tu vas commencer à croire que même les éléments sont contre les Téméraires…

C'est une pluie torrentielle qui tombe et qui remplit rapidement la crevasse. L'eau monte très vite : elle est déjà à la hauteur de vos genoux. Tu attrapes une racine blanche pour t'aider à sortir de ce trou, mais tu te rends compte qu'il s'agit en fait… D'UNE MAIN DE CADAVRE !

OOUUUAAAH !

La pluie creuse partout autour de vous et vous voyez apparaître d'autres mains, des pieds et des têtes de morts au visage hagard. Tu as maintenant de l'eau à la taille. Vous essayez de vous agripper aux parois glissantes, mais rien à faire. Pas moyen de sortir par le haut…

Alors vous courez difficilement dans la crevasse à demi remplie d'eau boueuse jusqu'au chapitre 55.

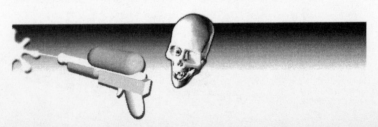

3

Tu examines la statue des pieds à la tête, car tu te doutes qu'une partie d'elle, une fois actionnée, ouvrira un passage. Tu appuies sur son gros nez crochu… RIEN ! Marjorie essaie de lui tordre les orteils… RIEN NON PLUS ! Tu peux déjà sentir l'haleine fétide des morts vivants souffler derrière ton cou.

Au comble du désespoir, tu recules d'un pas et tu remarques que les mains de la statue sont positionnées de façon à applaudir. Tu frappes très fort dans tes mains, **CLAAAC !** et la statue frappe dans les siennes. **BANG !**

Une partie du mur pivote **CRRRRRRRR !** vous ouvrant ainsi une voie. TU AS TROUVÉ ! À l'intérieur du passage, tu tapes à nouveau dans tes mains, et le mur se referme, **CRRRRRRRR !** Bien joué !

Le long tunnel vous conduit à des centaines de mètres sous la terre. La fumée est toujours présente. Tu portes ton chandail devant ta bouche et ton nez afin de filtrer l'air.

Le passage débouche au chapitre 95.

4

Quatre voies aussi peu invitantes l'une que l'autre s'offrent à vous.

Rendez-vous au chapitre indiqué sur la partie du cimetière que tu veux explorer...

5

Tu fais un signe de la tête dans la direction de ton choix… LE MAUSOLÉE ! Tes amis acquiescent et se placent derrière toi. C'est à toi d'ouvrir la marche jusqu'à la vieille construction de pierre.

La nappe de brouillard t'arrive aux genoux, et il est impossible de voir où tu mets les pieds. Le cimetière est silencieux, très silencieux. Tellement que ton angoisse monte d'un cran à chacun de tes pas. Tu te dis que c'est normal pour un cimetière, mais tu serais mieux de rester sur tes gardes. Et puis, dans le fond, ce silence tourne à votre avantage, car si quelqu'un ou quelque chose osait se pointer, vous l'entendriez tout de suite…

À quelques mètres de l'entrée du mausolée, ton pied touche quelque chose. Tu le soulèves et fais un pas de recul. Marjorie et Jean-Christophe s'arrêtent net derrière toi. Du revers de la main, tu essaies d'écarter la couche de brume qui couvre le sol pour voir, en vain. Sans réfléchir, tu plonges la main dans la couche de vapeur verdâtre pour tâtonner le sol. Le sol est humide. Tes doigts finissent par trouver quelque chose de rond… ET DE GLUANT !

Vite, rends-toi au chapitre 87.

6

C'EST RATÉ !

Vous essayez de reculer, sachant bien que c'est inutile, car ce monstre vous tient à sa merci. Du sol, qui a toujours la tremblote, commencent à apparaître les restes de squelettes enterrés. À ta gauche, un crâne dégarni aux orbites vides. À droite, une série de tibias et de fémurs placés les uns au-dessus des autres forme une échelle de fortune. Vous escaladez vite cette échelle macabre jusqu'à la terre ferme. Au fond de la crevasse, le monstre gluant frétille de rage.

La terre cesse de trembler, et vous poursuivez la visite du cimetière. Près du petit sentier, le couvercle d'un cercueil s'ouvre lentement. **CRRRRRR !** Vous vous cachez derrière un arbre pour épier secrètement ce mort vivant qui a décidé de revenir à la vie.

Le couvercle se referme, **BLAM !** et vous ne voyez toujours personne. Marjorie veut s'approcher du cercueil. Tu la retiens lorsque tu aperçois des pas qui apparaissent, comme par magie, sur le sol boueux du cimetière…

Vous suivez des yeux ces traces bizarres qui se forment jusqu'au chapitre 75.

7

Un blizzard se met à souffler.

L'intensité du vent glacial redouble de violence. Recroquevillés sur vous-mêmes, le dos tourné aux rafales, vous constatez qu'il vous est impossible de poursuivre cette aventure sans vêtements chauds. Penché vers la sortie, tu affrontes les bourrasques de neige qui s'accumulent, centimètre par centimètre, sur le sol du cimetière et qui rendent ta progression très difficile. Tu claques des dents et tu grelottes. Tes doigts commencent à geler un après l'autre. La neige forme devant toi un mur blanc et opaque.

Vous posez les pieds sur un petit étang de glace balayé par des vents très violents. Vous soutenant tous les trois pour ne pas tomber, vous réussissez à faire quelques mètres. Un gros coup de vent survient. Il vous fait marcher sur place un peu avant de vous pousser et de vous ramener à votre point de départ.

Le froid s'intensifie, et la neige s'accumule de plus en plus sur tes épaules et sur ta tête. Tu sens un très très grand froid t'envahir...

Les météorologues de Sombreville se sont encore une fois trompés dans leurs prévisions… En fait, ils ne se seraient pas trompés si tu n'avais pas ouvert ce petit coffre de Pandiora…

FIN

8

Tu examines sans trop comprendre les signes sur la première bouteille à gauche. Sur l'étiquette, il y a trois petits dessins : un « C » écrit dans la langue des sorcières, deux traces de pas et un chat. Cette mise en garde est écrite à la façon d'un rébus qui signifie : CE N'EST PAS ÇA ! Mais toi, tu n'as rien compris. Tu attrapes la bouteille, et vous retournez près du monstre qui pleurniche.

Tu tournes la bouteille dans tous les sens à la recherche de la posologie. Avant que tu puisses lire la première ligne, l'ours-garou te l'arrache des mains et boit le tout d'une seule rasade.

La réaction est instantanée. Des flammes et de la fumée jaillissent de ses naseaux, et il se métamorphose en homme sous vos yeux. Vous vous réjouissez, croyant avoir réussi.

Les yeux exorbités, l'homme s'approche de vous en brandissant une très grosse seringue pourvue d'une longue aiguille de plus de vingt centimètres. Lorsqu'il était sous la forme d'un ours-garou, il était gentil, et maintenant qu'il a repris sa forme humaine, il est méchant. C'est tout à fait l'opposé du Docteur Jekyll et Monsieur Hyde…

Fuyez jusqu'au chapitre 65.

9

La clé tourne parfaitement dans la serrure. Tu pousses un petit OUF ! de satisfaction, car seul le diable sait ce qui te serait arrivé si tu avais par malheur choisi la mauvaise…

Vous pénétrez dans l'épicerie. Les tablettes sont remplies de toutes sortes de produits bizarres.

« Tout est à prix réduit après minuit, vous dit un petit garçon juché sur la pointe des pieds derrière le comptoir. Les toiles d'araignées aussi, fait-il à la blague. Je vous fais un prix pour le lot, HA ! HA ! HA ! »

Tu lui remets la liste du vieillard.

« AH ! C'est mon frère jumeau qui vous envoie, dit le petit garçon en reconnaissant l'écriture. Il n'y a que lui pour être pris d'une fringale de queues de rat à la mexicaine à une heure pareille.

— TON FRÈRE JUMEAU ? t'exclames-tu, incrédule et avec raison.

— Oui, mon frère jumeau. Moi, je suis le jeune jeunot rajeuni. Les queues de rat qu'il mange le font vieillir terriblement. »

Pendant que le petit garçon ramasse les divers ingrédients inscrits sur la liste, tu fais le tour de l'épicerie au chapitre 82 en quête de quelque chose à te mettre sous la dent.

10

Votre fuite vous a conduits dans la plus vieille partie de ce déjà très vieux cimetière. Les morts qui y reposent sont d'une autre époque. Vous observez avec inquiétude les pierres tombales penchées et fissurées et les statues grotesques. Des grattements bizarres se font entendre… SOUS VOS PIEDS ! Soudain, une dalle glisse sur le côté, et une sépulture s'ouvre. La brume verte s'engouffre dans l'ouverture. Pas besoin de vous attarder ici, car vous vous doutez qu'une autre de ces horribles têtes de zombie va apparaître du trou.

Mais à la place, c'est un tas de glu lumineuse qui rampe hors de la sépulture. Cette dégueulasserie, si elle vous englobe, va vous digérer en moins de deux et rejeter vos ossements un peu partout dans le cimetière, et vous ne profiterez jamais du repos éternel que mérite tout défunt.

Marjorie asperge le monstre d'eau bénite, mais rien ne se produit. Il avance toujours dans le cimetière. Par chance, il n'est pas très rapide. Vous courez entre les pierres tombales et arrivez dans un cul-de-sac. Vous retournez sur vos pas et arrivez à une autre impasse… Là, ça se complique, car vous entendez au loin les grognements caverneux de vos anciennes fréquentations… LES MORTS VIVANTS !

Courez jusqu'au chapitre 105.

11

Vous n'avez pas fait vingt pas dans le cimetière… QUE LE SOL SE MET À BOUGER !

Le visage tout en grimace, vous attendez que deux mains gigantesques sortent des ténèbres de la terre pour vous emporter dans les profondeurs. Le sol vibre toujours. Vous essayez de demeurer debout en vous agrippant à des pierres tombales craquelées. De grandes fissures s'ouvrent dans le sol boueux du cimetière… C'EST UN TREMBLEMENT DE TERRE !

Un arbre anémique tombe. Vous essayez de vous écarter de sa trajectoire, mais vous chutez tous les trois dans une crevasse où vous vous retrouvez face à face avec une grosse masse gluante et transparente. À l'intérieur d'elle flottent des ossements humains et des petits animaux morts à moitié digérés… Ce monstre qui ne bouffe habituellement que des cadavres a décidé de varier son menu… ET FONCE SUR VOUS ! Marjorie dégaine son pistolet. Va-t-elle réussir à l'atteindre ? Pour le savoir…

*… **TOURNE LES PAGES DU DESTIN** et vise bien.*

Si elle réussit à l'atteindre, allez au chapitre 2.
Par contre, si elle l'a raté, allez au chapitre 6.

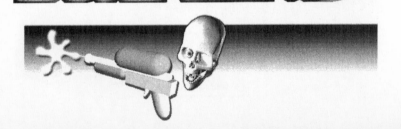

12

Alors que tu fais volte-face vers la sortie... UNE MAIN T'ATTRAPE ! Pas celle de l'ours-garou, mais celle de Marjorie. Elle t'arrête parce que ce monstre... PLEURE ! Il semble être coincé dans ce passage trop étroit pour lui.

« Il faut aider cette pauvre bête, te dit-elle, le visage triste.

— Remets ton petit cerveau dans le bon sens, essaies-tu de lui faire comprendre. Ce n'est pas un simple chat coincé en haut d'un arbre que nous avons devant nous. T'as vu la taille de ce géant poilu, et ses crocs, et ses dents… PAS QUESTION !

— J'me plains à la SPM, te menace Marjorie, le regard sérieux.

— LA SPM ? répètes-tu. Non mais qu'est-ce que c'est encore que cette invention ?

— La Société protectrice des monstres, te répond-elle tout d'un trait. Va voir dans Internet si tu veux savoir. Je vais me plaindre et ce n'est pas une menace en l'air… »

Tu réfléchis quelques secondes. C'est vrai que cet ours-garou n'a pas l'air méchant, et puis, si vous réussissez à le dégager, vous pourrez vous rendre à la bibliothèque, car il vous barre la route, ce gros tas de poils.

Prenez-lui les bras au chapitre 85 et tirez très fort...

13

Vous descendez ce qui reste de l'escalier pour vous retrouver dans une crypte. Partout, il y a des cercueils et, sur ces cercueils, les noms des morts sont écrits en chinois. Vous vous élancez vers l'extérieur et découvrez avec stupeur qu'il fait jour, et que vous avez bel et bien traversé la terre de part en part jusqu'en Chine.

« Nous avons pris un raccourci temporel, en déduit Jean-Christophe. Chaque marche de cet escalier n'était qu'un pas pour nous, mais nous franchissions sans le savoir... DES MILLIERS DE KILOMÈTRES ! »

Vous revenez tous les trois à l'intérieur de la crypte pour découvrir, horrifiés, que l'escalier a disparu et, avec lui, le raccourci temporel. Impossible de revenir à Sombreville...

Vous vous rendez au village voisin pour demander de l'aide. Mais là, tu as toutes les misères du monde à te faire comprendre des Chinois. Jouant les clochards, vous réussissez à extirper une pièce de monnaie à un passant au cœur sensible afin de téléphoner chez toi. Au début, ton père va te trouver bien drôle, mais lorsqu'il constatera que ce n'est pas une blague, et qu'il doit vraiment venir te chercher en Chine... IL VA RIRE JAUNE !

FIN

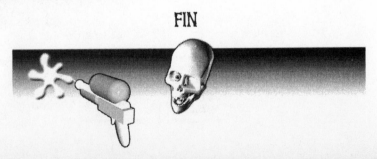

14

Tu colles ton œil sur le trou de la serrure. AAAH ! AAAH ! AAAAAH ! Le vieillard vieux, oups ! le vieux monsieur, NON ! le vieux vieillard vieillissant BON ! avait raison. De l'autre côté de la porte, il y a toutes sortes d'articles intéressants.

À droite de la porte, trois clés sont accrochées à une colonne de bois finement sculptée. L'une d'elles sert à ouvrir la porte.

Étudie bien cette illustration et rends-toi au chapitre de la clé que tu crois être la bonne...

15

Gor attrape une corde, exécute quelques mouvements rapides et se retrouve sur le même palier que toi. Tu n'as pas le temps de faire le moindre geste qu'il t'attrape de ses bras puissants. Tu essaies de te dégager, mais sa force est titanesque. La seule chose que tu peux faire, c'est de fermer les yeux en attendant qu'il plante dans ton cou les crocs qu'il brandit.

« Ce n'est pas possible, gémis-tu. C'est ainsi que tout va se terminer pour moi ? »

Soudain, d'une façon inespérée, les roues dentées du mécanisme de l'horloge arrêtent d'un coup sec de tourner. Le bruyant tic tac de l'horloge cesse lui aussi, et tout devient silencieux dans la tour. Les yeux de Gor deviennent tout ronds.

Il lâche son étreinte, recule et se prend la tête entre les mains, qui tremblent. Son visage grimace de douleur. Tu le regardes sans bouger, bouche bée. Il se met à rétrécir, et son corps devient tout mou. Au bout de seulement quelques secondes, il n'est plus, à tes pieds, qu'un gros bouillon de bave verte et dégoûtante. Qu'est-ce qui est arrivé ?

Tu dévales l'escalier jusqu'au chapitre 108 en cherchant à comprendre.

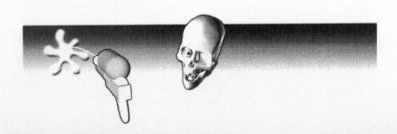

16

Un grand zombie plante ses doigts crochus dans ton chandail et t'attrape. Tu tires et tu tires de toutes tes forces, mais ton chandail ne se déchire pas. Ah, ils sont résistants les vêtements que ta mère t'achète, trop résistants.

Les autres morts vivants encerclent Marjorie et Jean-Christophe. La meute affamée vous traîne de force tout au fond du cimetière où vous remarquez que, juste pour vous, un feu va être allumé. Cuire comme des guimauves au clair de lune semble être la destinée des Téméraires.

Tous les morts vivants préparent le cimetière en vue du grand festin sauf un, celui qui a la responsabilité de vous garder. C'est le plus costaud de la meute. Il vous surveille, sourire aux lèvres. Son sens de l'humour n'est peut-être pas mort avec lui. Tu tentes ta chance avec les meilleures blagues de ton répertoire. Une blague, deux blagues… Cinq blagues plus tard, le mort vivant se tord de rire sur le sol vaseux. Tu en profites pour frotter les liens qui te retiennent sur une pierre tombale craquelée.

Libre, tu détaches tes amis, et vous quittez le secteur en douce jusqu'au chapitre 10.

17

« Est-ce que tu savais que tu étais un peu folle ? lui dis-tu en faisant tourner ton index sur le côté de ta tête. Mais c'est un peu pour cela que je t'aime, rajoutes-tu en lui souriant. Voilà mon super pistolet, tu peux faire le plein... »

Marjorie saisit le gros pistolet multicolore et le remplit. Ensuite, elle donne quelques poussées sur le fût, et le voilà chargé. Jean-Christophe et toi suivez maintenant Marjorie qui avance devant vous vers l'entrée du cimetière avec le super pistolet devant elle, prête à faire feu. Euh non ! À faire eau plutôt...

Comme vous arrivez à l'entrée, la grande porte de fer forgé rouillée s'ouvre. C'était à prévoir, d'ailleurs c'est toujours la même chose, comme dans tous les films d'horreur.

D'une rue voisine, quelques cris lointains vous annoncent cruellement que les squelettes en scooter viennent de faire leurs premières victimes de la nuit. Vous marchez sur le sol vaseux du cimetière. Un brouillard verdâtre enveloppe les pierres tombales et le grand chêne. Tu essaies de cacher ta frayeur, mais impossible, les traits de ton visage se lisent aussi facilement que des lettres, des lettres qui forment le mot... PEUR !

C'est sur vos gardes que vous allez au chapitre 4.

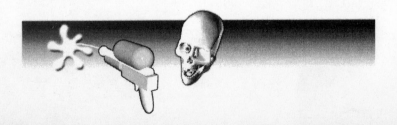

18

Tu ramasses la clé et tu la glisses dans la serrure du curieux petit coffre de bois ciselé, sous les regards inquiets de tes deux amis.

« J'crois pas que tu devrais, te confie Marjorie avant que tu puisses tourner la clé. Une boîte comme ça, trouvée dans un cimetière. Cela ne peut être autre chose que la boîte de Pandiora… UNE BOÎTE À MAUVAISES SURPRISES ! »

Tu examines le coffre. Il tient entre tes deux mains.

« Si jamais il y a une espèce de monstre qui jaillit de l'intérieur, lui dis-tu pour la calmer, il ne sera pas très grand. S'il cherche la bagarre, je l'écraserai avec mon pied, et ça sera tout… »

Tu agites le coffre, **CLOC ! CLOC ! CLOC !** Il y a définitivement quelque chose dedans. Tu tournes la clé, **CHLIC !** et tu lèves le couvercle. À l'intérieur, il n'y a rien ! IL EST VIDE ! Tu le secoues encore, **CLOC ! CLOC !** Qu'est-ce ça veut dire ? C'est comme s'il contenait quelque chose que tu ne puisses pas voir ni toucher. Tu le tournes à l'envers pour faire sortir ce que tu ne vois pas. Tout à coup… DE GROS FLO-CONS DE NEIGE SE METTENT À TOMBER !

Fasciné par le paysage devenu tout blanc, tu te rends au chapitre 7.

19

Chacun des livres est recouvert d'une peau d'animal. Des peaux de serpent, des plumes d'oiseau et même des fourrures colorées d'animaux qui te sont inconnus. Tu en saisis un. Au toucher, le livre est chaud, comme s'il s'agissait d'une créature encore en vie. La sensation est très bizarre. Tu l'ouvres. À l'intérieur, il n'y a que des pages blanches ; rien n'a été écrit. Tu le ranges et tu en prends un autre. Rien non plus, les pages sont toutes blanches.

Tes amis en saisissent un, et c'est la même chose. Des milliers de livres et pas une seule lettre de l'alphabet...

Ces livres sont peut-être écrits en braille. Tu approches l'index vers la page à la recherche de petits points saillants qu'utilisent les aveugles pour lire. Alors que ton doigt touche la page... UNE VOIX SÉPULCRALE ÉMET UN MOT !

« ERVIL ! »

Tu avances ton doigt. La même terrifiante voix poursuit la lecture.

« TNEIVER À AL EIV ! »

Système de lecture informatisé ou sorcellerie ? La réponse au chapitre 86.

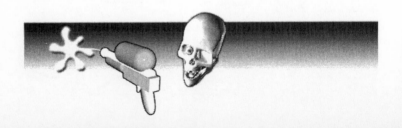

20

Tu t'approches d'une petite étagère de bois sur laquelle reposent trois curieuses bouteilles. Par leur forme bizarre, tu te doutes que l'une d'elles a la vertu de rétrécir celui qui en boit quelques gouttes. Mais sais-tu lire la langue des sorcières ?

Observe bien les étiquettes et rends-toi au chapitre inscrit sous la bouteille que tu auras choisie...

Vous vous approchez du chêne géant. Une immense tête de mort a été taillée à même l'écorce de l'arbre. Des volutes de fumée sortent de ses orbites comme si l'arbre respirait. À l'intérieur de sa grande bouche béante, vous apercevez un escalier sculpté qui monte sans doute dans les ténèbres du tronc. Tu ne peux pas t'empêcher de frissonner.

Tu franchis le seuil de la mâchoire et tu poses le pied sur la première marche. Elle émet un craquement sinistre.

CRRRRRIIIII !

À l'intérieur, vous découvrez que chacune des branches du grand chêne est en fait un passage éclairé par de petites lanternes. Quelqu'un habite cet arbre, c'est sûr et certain… Vous avancez dans la première branche creuse, l'oreille aux aguets. Sur les parois de bois a été taillée l'indication suivante :

BIBLIOTHÈQUE

… et une flèche pointe droit devant vous. Qui pourrait bien cacher des livres au fond d'un arbre ?

Vous faites quelques pas en direction du chapitre 63 tout en réfléchissant.

22

Vous appuyez sur le bouton en forme de crâne, et vos scooters démarrent.

VROOUUMM !

Vous tournez l'accélérateur pour vous engager dans le sombre sentier menant aux confins de la forêt. Les grands yeux lumineux du scooter illuminent le parcours. Faire du motocross au beau milieu de la nuit, avoue que tu ne t'attendais pas à ça…

Mais cette balade qui s'annonçait agréable vient de prendre une autre tournure, car derrière vous, des squelettes en scooters vous ont pris en chasse. VOUS METTEZ PLEIN LES GAZ ! Vous filez à une vitesse foudroyante en zigzaguant entre les arbres avec une maîtrise que tu t'ignorais. C'est peut-être ça, avoir des ailes lorsqu'on a peur. Tu regardes une fraction de seconde dans ton petit rétroviseur : les squelettes sont toujours à vos trousses. Comment les semer ? Tu réfléchis vite… Les gorges de Sombreville !

Tu quittes le sentier et tu t'enfonces dans la forêt. Marjorie et Jean-Christophe te suivent.

Conduis tout le cortège de scooters à la gorge au chapitre 104.

23

À peine avez-vous fait quelques pas sur le pont que les planches craquent et cèdent, **CRAAAAC !** Dans un ultime effort, vous réussissez à vous agripper aux cordages. Sous vos pieds, la rivière de lave chaude bouillonne. Il fait chaud. La chaleur fait vite sécher les larmes de peur qui coulent sur ta joue. Un à un, vos doigts glissent du cordage. En bas, vous apercevez la carcasse d'un vieux voilier qui dérive et qui se consume lentement dans la lave. C'EST VOTRE SEULE CHANCE !

Vous vous laissez tomber pour atterrir sur l'épave flottante. Debout sur le pont, vous évaluez la distance entre vous et la rive. Il y a plus de cinq mètres. Impossible de sauter pour la rejoindre. Une vague de lave se brise sur la coque du navire et met le feu à la figure de proue. Les planches du pont s'enflamment rapidement. Il y a de la fumée partout, vous étouffez…

Vous devez vous réfugier dans la cale. En bas, il y a encore de la fumée, sauf que chacune des volutes de fumée possèdent… DES YEUX ET DES SABRES ! Ce sont des fantômes de pirates qui croient que vous avez pris leur navire… À L'ABORDAGE ! Croyez-vous avoir la moindre chance de vous en sortir ?

NON !

24

Tu appuies sur l'interrupteur, et tout de suite une série de néons poussiéreux clignotent et s'allument. Près d'un mur de briques peint aux couleurs d'un grand manufacturier de pneus, il y a des carcasses de motos. À côté, tu remarques un grand coffre aux tiroirs ouverts d'où brillent des jeux d'outils. Sur une table de travail se trouvent toutes les pièces d'un moteur démonté. Des étagères contiennent des litres d'huile, des contenants de graisse et des pièces de rechange. Tu te frottes les yeux, car tu ne peux pas croire ce que tu vois. C'est un garage… UN GARAGE POUR SCOOTERS EN PLUS !

Maintenant, tu ne te frottes plus les yeux, incrédules. Tu jubiles, car il n'y a pas de doute, vous êtes sur la bonne voie. Tu t'arrêtes lorsque tu aperçois dans un coin un squelette en salopette tachée de graisse assis sur un tabouret. Il porte une casquette et il semble roupiller.

Marjorie, qui ne l'avait pas encore aperçu, sursaute lorsque tu pointes silencieusement le squelette du doigt pour l'avertir. Vous vous cachez derrière le coffre pour réfléchir en sortant la tête chacun votre tour pour le surveiller…

Tourne silencieusement les pages de ton Passepeur jusqu'au chapitre 32.

25

Trois paires de mains osseuses vous attrapent et vous soulèvent de la terre ferme. Le chef des squelettes s'approche de toi. Il n'a pas vraiment l'air content. En fait, il est assez difficile de dire s'il est content ou pas puisqu'il n'a presque plus de peau autour du crâne...

Marjorie dégaine son pistolet à eau bénite, mais s'aperçoit qu'il s'est brisé et vidé de son contenu. Le chef lui fait un cruel sourire avec sa moitié de bouche. Les squelettes vous conduisent loin dans la forêt et vous abandonnent. Autour de vous, les arbres vous paraissent plus grands que les autres. Leur feuillage est immense et cache complètement le ciel. Pas moyen de vous guider à partir de l'étoile polaire. Vous errez comme ça pendant des heures, ne sachant pas où aller. Tu regardes ta montre. Il est dix heures du matin, et il fait toujours noir à cause de ces foutus arbres gigantesques qui cachent le soleil.

Allez-vous réussir à sortir de cette forêt maudite ? NON ! Quelques mois plus tard, qui retrouve vos corps ? Les squelettes... Pour faire de vos carcasses desséchées des membres actifs de la bande. Pourquoi ? Parce que vous savez conduire des scooters, et même très bien, vous l'avez prouvé...

FIN

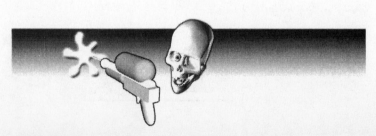

26

D'autres minutes passent. Dehors, les criquets qui égayaient cette belle soirée se sont tus et ont fait place au son lugubre du vent.

OOUUUUUUUUUUUU !

Pas la peine de regarder sur ton réveil… IL EST MINUIT !

Le vrombissement de plusieurs scooters se fait de plus en plus audible. Tu pousses les couvertures, et d'un seul bond, tu te retrouves devant ta fenêtre. Avec deux doigts, tu écartes les lames du store vénitien. ATTENTION ! Il ne faut pas qu'ils te voient, sinon il pourrait t'arriver la même chose qu'à la vieille qui habite la maison d'en face.

Hier, ces squelettes démoniaques l'ont aperçue à sa fenêtre. Ils se sont lancés comme des fous et ont enfoncé sa porte avec leurs scooters. Apeurée, elle s'est réfugiée dans le sous-sol pour se cacher dans son gros coffre en cèdre. Heureusement, les squelettes ne l'ont pas trouvée. En plus d'avoir saccagé la maison, ils s'en sont pris à son jardin et à ses plates-bandes de fleurs, ses fleurs chéries, comme elle dit. Résultat : la vieille a fait une crise de nerfs et s'est retrouvée à l'hôpital.

Trois scooters tournent le coin de la rue et apparaissent sur la rue Latrouille. Va au chapitre 42.

27

Tu attrapes un flambeau accroché au mur, et vous vous engagez dans la salle voisine, là où se trouve la tombe de Gor Dratom. L'épitaphe vous révèle son terrible secret et confirme qu'une espèce de malédiction s'est abattue sur les Dratom. En effet, Gor Dratom, lui, n'a pas été happé par une voiture... MAIS PAR UNE CALÈCHE !

Il était le premier de la lignée des Dratom à avoir habité Sombreville. Nul doute qu'il y a un lien entre cette famille et les scooters qui hantent la ville. Vous sentez tous les trois que vous êtes près du but. Il ne vous reste qu'une seule tombe à trouver. Celle du dernier des Dratom.

Vous empruntez un long escalier qui vous entraîne au plus profond du mausolée. Au centre d'une autre grande pièce trône un imposant cercueil. Vous y pénétrez à pas prudents. Sur la plaque en or vissée sur le couvercle est gravé : « Ci-gît Paul Dratom, mort en 1998 dans un accident de... SCOOTER » !

Profaner une tombe n'est pas dans vos habitudes, mais celle-ci, il serait peut-être bon de l'ouvrir...

Allez au chapitre 52.

28

Gor Dratom saute et atterrit juste devant toi. Pas mal agile pour quelqu'un qui est dans un état de décomposition avancé. Tu le fixes intensément jusqu'à ce qu'il fasse le premier geste.

Vif comme l'éclair, tu t'écartes de la trajectoire de son gros poing osseux. Il voulait t'aplatir la figure, mais son poing va finalement briser une poutre de bois, et une partie de l'escalier s'écroule sur vous.

Vous vous retrouvez au chapitre 57, ensevelis sous les décombres.

29

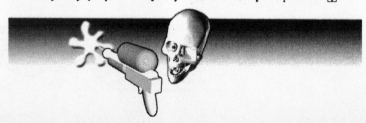

Tu essaies de te gratter la tête, mais à la place, ta main se dirige vers ton ventre et tu te grattes le nombril. Qu'est-ce qui se passe ? Tes amis se rendent compte eux aussi que ce qu'ils ont dit n'est pas tout à fait exact...

Tu essaies de t'approcher d'un grand miroir, mais au lieu d'avancer... TU MARCHES PAR EN AR-RIÈRE ! À reculons, tu réussis à contourner le grand lustre de cristal qui, lui, est suspendu au plancher qui se trouve être le plafond, enfin tu vois ce que je veux dire. Tu fais du *moonwalk* comme ça jusqu'à Jean-Christophe et tu essaies de discuter avec lui, mais les mots qui sortent de ta bouche disent le contraire de ce que tu voudrais lui dire. Il baisse les épaules au lieu de les lever pour te montrer qu'il ne saisit pas un traître mot de ce que tu lui chantes.

Découragé, tu remarques juste au-dessus de ta tête qu'un vieillard est assis dans un grand fauteuil en face du foyer. Tu constates que dans cette pièce règne une malédiction qui met tout à l'envers. Même ce que vous dites... Tu décides de tourner cette situation à ton avantage. Tu demandes au vieillard comment NE PAS terminer cette aventure, il te répond : PAR LE MAU-SOLÉE...

Fiers de cette information, vous reculez jusqu'au chapitre 4.

30

« Taisez-vous ! vous ordonne Jean-Christophe. J'ai entendu quelque chose… »

Tu essuies ton visage avec ton t-shirt et tu te mets à scruter la pénombre. Rien ne bouge, à part la brume qui se dissipe. Tout est mort autour de vous. Devant toi, juste devant toi, il n'y a que le mausolée…

Examine-le attentivement, et ensuite rends-toi au chapitre 64.

31

« Mais c'est impossible, ça », te dit Marjorie, incrédule, lorsque tu appuies sur le bouton.

CLIC !

L'appareil se met à gronder, et des dizaines de petits témoins lumineux se mettent à clignoter. Une lumière vive envahit ensuite la pièce, et le corps d'une jeune fille se matérialise autour des os du squelette. Les mâchoires de tes amis en tombent. Des murmures s'échappent des lèvres de la jeune fille. Vous vous approchez :

« Je suis Anatoline Dratom, vous dit-elle de sa petite voix. Avant sa mort, le premier des Dratom, Gor Dratom, a fait un pacte avec le diable, raconte-t-elle. En échange de la vie éternelle, Gor a promis au diable qu'il ferait le mal et hanterait Sombreville aussi longtemps que la grande horloge de la ville fonctionnerait. Ce pacte avec le diable a frappé tous les Dratom, jusqu'au dernier, comme un mauvais sort. Il n'y a qu'une façon de le conjurer : il faut à tout prix briser le mécanisme de l'horloge située tout en haut de la tour au cœur de la ville. Si vous réussissez, le pacte sera lui aussi brisé, et les scooters disparaîtront. Il vous faudra cependant affronter Gor, qui garde scrupuleusement les lieux pour préserver son immortalité… »

Allez au chapitre 40.

32

« Trois téméraires contre un squelette, vous fait remarquer Marjorie. Il faut profiter de cet avantage. Nous sommes deux de plus que lui, et lui, deux de moins que nous. Nous sommes donc quatre dans ce garage…

— Bravo ! tu sais compter, se moque Jean-Christophe. Que la situation sois critique ou non, il faut toujours que tu déconnes un peu, toi !

— Ta sœur rigole, mais dans le fond elle a raison, dis-tu à ton ami. Il ne faut pas attendre que les autres reviennent, nous devons agir tout de suite. »

D'un seul bond, tu te lèves et tu te diriges, armé de ton super pistolet, vers le squelette endormi. Tu longes le mur, ramassant poussière et toiles d'araignées sur ton passage. Ton pied heurte une canette de cola vide que tu n'avais pas vue. Elle se met à rouler et s'arrête près du squelette qui, heureusement, ne s'est pas réveillé. Tu laisses échapper un « fiou » !

Tu avances lentement jusqu'à lui et tu pointes ton super pistolet sous son nez, enfin, où se trouvait son nez lorsqu'il était vivant. Le squelette se réveille et lève les bras en signe de soumission.

BELLE CAPTURE ! Va au chapitre 41 maintenant.

33

Vous marchez, le dos courbé, dans un étroit tunnel. Des toiles d'araignées se collent à ton visage, tu les enlèves avec dégoût. Sur le sol humide, de gros insectes se disputent la carcasse desséchée d'un rat. BRRR ! Cet endroit aurait besoin d'un sérieux ménage. Vous progressez jusqu'à l'entrée d'une grande salle encombrée d'étagères remplies de vieux livres poussiéreux. Placardé partout sur les murs, il y a le même avertissement : « SILENCE ! SINON… »

« C'est la bibliothèque des registres des morts, vous dit Jean-Christophe. Ce serait bon de consulter les…

Une voix ténébreuse se fait soudain entendre :

— CHUUUT ! souffle-t-elle d'une façon très lugubre…

Vous vous regardez tous les trois, apeurés.

— Nous ne sommes pas seuls ici, murmure Marjorie tout bas.

— CHUUUUUUUT ! vous prévient encore la voix.

— J'crois qu'il vaudrait rebrousser chemin, suggères-tu à tes amis au moment où la voix lance un dernier mais très impératif…

… CHUUUUUUUUUUUUUT ! »

Vous vous dirigez sur la pointe des pieds vers la sortie au chapitre 58.

34

Ça ne sert à rien de bûcher sur la porte pendant cent ans, elle est maintenant verrouillée à clé…

À l'intérieur, des torches crépitantes accrochées aux murs font valser vos ombres sur le sol. Sans elles, il ferait très noir ici. Vous attrapez tous les trois une torche pour faire la visite des lieux. Des araignées velues courent sur leurs toiles.

Vous faites le tour du mausolée. Ça pue les morts. Autour de vous, il n'y a que des cercueils poussiéreux. Pas d'autre sortie. Pendant que vous réfléchissez, le couvercle d'un des cercueils s'ouvre.

CRRRRRRRRRR !

Lentement, une main décharnée apparaît, puis un corps en tout aussi mauvais état en sort. Vous vous laissez choir silencieusement sur le sol. Est-ce que ce zombie, ce cadavre en état de décomposition avancé, va vous apercevoir ? Pour le savoir…

… TOURNE LES PAGES DU DESTIN.

S'il vous a vus, allez tout droit au chapitre 45.
Si, au contraire, il n'a pas remarqué votre présence, allez au chapitre 72.

35

Ton sang bouille dans tes veines. Tu n'as pas le choix : tu vides ton super pistolet sur eux, **PSSSSSSS !** et tu les fais tous les trois fondre comme de la crème glacée au soleil.

La ville est enfin débarrassée de ces scooters démoniaques. Il reste cependant Gor Dratom. Si vous ne réussissez pas à l'envoyer en enfer lui aussi, il trouvera d'autres moyens pour semer la pagaille et le chaos dans tout Sombreville...

Vous observez la haute tour de l'horloge. La lune projette son ombre menaçante devant toi comme un tapis noir déroulé juste pour vous jusqu'à la porte. Tu brasses ton pistolet et constates que le réservoir est vide. Tu le jettes par terre et tu te diriges vers la porte de la tour.

Tu pousses la lourde porte cloutée, et vous entrez. L'odeur d'un corps en décomposition agresse ton nez. Quelques chauves-souris agrippées au mur de pierres lancent des petits hurlements lugubres et s'envolent dans les ténèbres de la tour. Tu lèves la tête. Gor Dratom est perché tout en haut, comme un vautour. Derrière lui, votre objectif... LES ROUES DENTÉES DU MÉCANISME DE L'HORLOGE !

C'est parti ! Va au chapitre 28 pour le combat final.

36

Assis par terre, tu t'étonnes de voir la gargouille repartir et t'abandonner à ton sort. Tu te relèves pour constater qu'il n'y a pas de dégâts, à part la boue sur tes jeans.

Tout autour, une lumière diffuse passe entre les arbres. Tu portes ton regard au loin et tu distingues vaguement des silhouettes qui se déplacent. Tu te tiens fébrilement au beau milieu de la clairière, le regard terrifié, lorsqu'une ombre se met à onduler devant toi. Tu voudrais foutre le camp, mais il n'y a aucun muscle de ton corps qui répond… QU'EST-CE QUI SE PASSE ?

Au-dessus de toi, la nuit noire fait place au jour, puis encore à la nuit. Des centaines de jours et des centaines de nuits passent. Tu te sens grandir et puis vieillir…

L'ombre voleuse de temps qui dansait devant toi s'est finalement volatilisée. Tu as retrouvé ta liberté, mais des années ont passé, en fait…COMBIEN D'ANNÉES T'A-T-ELLE VOLÉES ?

Tu te diriges en traînant les pieds jusqu'à un ruisseau. Lorsque tu te penches au-dessus de sa surface, tu aperçois ton visage… PLEIN DE RIDES !

Rends-toi maintenant au chapitre 49.

37

Vous n'avez rien remarqué, mais elle était restée là, derrière une pierre tombale.

Inconscients du danger, vous ouvrez lentement la grille et entrez une deuxième fois. Soudain, tout s'obscurcit autour de vous, comme si quelqu'un avait éteint la lune qui brillait en la soufflant comme une bougie. C'est elle, la créature invisible !

Elle prononce quelques paroles incompréhensibles, et vous vous enfoncez dans le sol comme dans du sable mouvant. Tu restes immobile, parce que tu as souvent vu à la télé que, en pareil cas, il ne fallait pas bouger, sinon on s'y enfonçait encore plus.

Mais le sol vaseux monte toujours. Tu es enseveli jusqu'à la taille maintenant, et ça continue. Foutue télé ! Il ne faut pas toujours croire ce qu'on y voit.

Les asticots et les rats d'une fosse voisine viennent de flairer la chair fraîche et s'amènent vers vous. Affolé, tu gigotes le plus que tu peux, mais ta tête s'enfonce sous le sol, et tu disparais…

Au chapitre 50 maintenant.

38

Vous examinez la sépulture béante. Cette tombe a été profanée, ou pire, le cadavre qui reposait dans ce cercueil a repris goût à la vie. Les pas sur le sol en sont la preuve.

Sur vos gardes, vous fouillez le cimetière des yeux et remarquez qu'une procession de morts vivants avance silencieusement sur le petit chemin rocailleux. Vous cherchez une place pour vous cacher, mais cette maudite pleine lune jette sa lueur bleuâtre sur tout le cimetière et éclaire tous les coins sombres. Les morts vivants changent de trajectoire et arrivent droit sur vous. Marjorie pointe le pistolet à eau bénite dans leur direction, mais se ravise lorsqu'elle se rend compte qu'ils sont trop nombreux. VOUS DEVEZ FUIR ! Trois morts vivants se postent à l'entrée du cimetière. Impossible de quitter l'enceinte maintenant...

Vous zigzaguez entre les arbres et les tombes, poursuivis par cette meute affamée de cerveaux humains. Vont-il finir par t'attraper ? Pour le savoir...

... TOURNE LES PAGES DU DESTIN.

Si un de ces répugnants zombies agrippe ton chandail et t'attrape, rends-toi au chapitre 16.
Si, par contre, tu réussis à t'enfuir, cours jusqu'au chapitre 47.

39

Le visage crispé dans une horrifiante grimace, tu donnes un petit coup de coude à Jean-Christophe pour l'avertir que les deux gargouilles qui ornent le toit du mausolée… ONT BOUGÉ !

Marjorie elle aussi l'a remarqué. Elle saisit ton bras et le serre très fort, si fort, qu'elle te coupe la circulation. Des picotements commencent à se faire sentir au bout de tes doigts. Tu observes, sidéré, les deux gargouilles. Réveillées d'un long sommeil, elles penchent la tête d'un côté et de l'autre et étendent tout grand leurs ailes.

« Qu-qu'est-ce qu'on fait maintenant ? » te demande Marjorie, d'une petite voix.

Tu jettes un coup d'œil derrière toi pour évaluer la situation. L'entrée du mausolée est beaucoup plus près que la sortie du cimetière. Vous n'avez pas le choix, votre seule chance de fuir ces gargouilles, c'est de vous mettre à l'abri à l'intérieur du vieil édifice de pierres, même si quelque chose de pire vous attend à l'intérieur. C'est un risque à prendre…

À go, vous foncez tous les trois vers l'entrée du mausolée au chapitre 100. GO !

40

Vous êtes tous les trois attristés de voir que les effets du rayon Z se dissipent. Anatoline redevient le squelette blanc et sec qu'elle était. Par mesure de politesse, vous la ramenez au mausolée familial avec la promesse de faire cesser cette malédiction afin qu'elle retrouve, ainsi que toute sa famille, le repos éternel.

Vous vous dirigez ensuite vers la tour de l'horloge où les scooters tracent des cercles autour de la grande tour en faisant un boucan incroyable.

Allez au chapitre 97.

41

Tu te retournes, en souriant nerveusement, vers tes amis qui accourent.

« On fait quoi, là ? » demandes-tu à Jean-Christophe.

Marjorie te répond :

« Il faut le faire parler, te dit-elle en croyant avoir trouvé une idée super géniale, et tout lui faire avouer…

— Ah ouais, le faire parler, rigole son frère. Comment veux-tu que ce squelette nous cause, il n'a pas de langue, pas de larynx, pas de cordes vocales non plus. Tu vois bien qu'il n'a aucun organe, t'as pas besoin de rayons X pour voir cela…

— OUI ! RAYONS X ! cries-tu à tes amis. J'ai un plan ! Aidez-moi ! Il faut emmener ce squelette à l'hôpital de Sombreville.

— Mais t'es complètement totalement cinglé, te lance Marjorie, avec raison. Tu veux le faire soigner ? Il est trop tard si tu n'as pas remarqué, d'ailleurs, y a pas plus mort qu'un squelette.

— J'vous dis que j'ai un plan », finis-tu par leur faire comprendre.

Tu pointes le pistolet sous le menton du squelette pour lui intimer l'ordre de vous suivre. À votre grand étonnement, il se lève lentement, écarte le pistolet de son visage et ouvre la marche jusqu'à l'hôpital au chapitre 79.

42

Tu ne prends pas de risques. Tu fermes les lames du store lorsque les trois bolides lumineux passent en trombe devant chez toi en soulevant la poussière.

Sur ton ordinateur, qui reste toujours allumé parce que l'écran te sert de veilleuse, apparaît soudain l'icône de ta boîte de réception de courriels. À cette heure si tardive ! Qui pourrait bien vouloir t'écrire ?

Tu cliques deux fois sur la petite enveloppe qui tourne à l'écran, et l'envoi s'ouvre. C'est Marjorie : « OK ! OK ! Ça y est. J'en ai ras le bol de ces squelettes débiles qui empêchent tout le monde de dormir. Si je manque de sommeil encore une nuit, je vais avoir besoin d'une chirurgie plastique. La police s'avoue impuissante vis-à-vis ces motards morts, alors nous allons nous en occuper, nous les Téméraires de l'horreur. Ah oui ! Apporte ton super géant pistolet à eau, je leur ai préparé une petite surprise. Jean-Christophe et moi, nous t'attendons au bout du cul-de-sac de la rue Mort-noire dans une quinzaine de minutes. Attention de ne pas te faire remarquer… »

Attends quinze minutes et rends-toi au chapitre 53. PAS DE TRICHE !

43

SPLOUCH ! en plein dans le mille.

Le gros insecte virevolte et va écraser sa grosse tête laide sur le comptoir devant le petit garçon étonné.

« WOW ! » fait-il, émerveillé par ton adresse.

Le petit garçon te remet le sac rempli des victuailles commandées par son frère, et vous remontez auprès de lui. Le vieux vieillard vieillissant se régale de quelques queues de rats et vous dit, la bouche pleine :

« MUMPH ! Quelle est, MUMPH ! votre question ? »

Tu réfléchis quelques secondes et tu lui demandes celle-ci :

« Quel est le chemin le plus court pour terminer cette aventure ?

— QUOI ! s'étonne-t-il. Vous ne voulez pas savoir quelque chose du genre les réponses de vos examens de fin d'année ou les numéros gagnants de la prochaine loterie ?

— Non ! insistes-tu. Ma question reste la même.

— Très bien, répond le vieil homme. Le mausolée du cimetière vous conduira à la bonne finale. Faites attention aux gargouilles qui surveillent l'entrée… »

Fiers de ce renseignement, vous retournez tout de suite au chapitre 4.

44

Vous tournez les talons et vous foncez vers la sortie du grand chêne.

Quatre livres s'envolent comme des chauves-souris et passent au-dessus de vos têtes pour vous barrer la route. Marjorie les arrose d'eau bénite, sans succès.

Tu luttes contre ces livres démoniaques déchirant leurs pages, brisant leurs couvertures.

SCRITCH ! SCRATCH ! BRIIIC !

Un grand bouquin arrive derrière toi et te taillade le bras avec ses pages. Tu le projettes à l'autre bout de la branche creuse, d'un bon coup de pied. La blessure est douloureuse. Des centaines de livres de toutes tailles vous entourent. Une extraordinaire bataille s'ensuit, de laquelle vous sortez… PERDANTS !

Ces livres sont assoiffés d'encre et, à défaut d'encre, ils vont se contenter de votre sang.

Si jamais vous êtes pris d'une soudaine envie de faire une petite lecture nocturne, visitez la bibliothèque du grand chêne, troisième branche à droite. Vous verrez que les livres sont maintenant remplis de textes macabres écrits en rouge… AVEC LE SANG DES TÉMÉRAIRES !

FIN

45

Vous l'entendez marcher dans le mausolée. Il se traîne les pieds comme le font tous les morts vivants. Ce frottement de vieux os sur le plancher de marbre te fait grincer des dents. Il vous a vus, il n'y a aucun doute… CAR IL SE RAPPROCHE !

Marjorie se lève tout d'un coup et pointe le super pistolet vers l'abominable zombie. Mais avant qu'elle puisse l'asperger d'eau bénite surgit d'un cercueil tout près une créature au teint pâle qui la saisit et l'emporte.

AAAAAAAH ! AAAH !

Les hurlements de Marjorie s'estompent lorsque le couvercle du cercueil se referme sur elle. Vous jouez au chat et à la souris avec l'autre mort vivant qui essaie de vous attraper afin de rassasier sa faim éternelle de cerveaux humains. Te faire croquer le crâne, ça tu ne voudrais pas.

Le mort vivant pousse des hurlements lugubres.

GROOOOOOUUUUWW ! GROOUUUW !

Vous apercevez en même temps un filet de lumière qui filtre l'un des cercueils… UN PASSAGE SECRET !

Vous soulevez le couvercle et découvrez un escalier qui vous amène dans les profondeurs du chapitre 74.

46

L'ours-garou enroule ses bras velus autour de toi. Tu hurles : « OUAAAAAH ! » Marjorie et Jean-Christophe font volte-face et attrapent ton chandail. Le monstre rugit en te bavant sur la tête. Tes amis se mettent à tirer de toutes leurs forces pour t'extirper de ses griffes.

Mais l'ours-garou est beaucoup trop fort ; il vous traîne tous les trois jusqu'à la cime du grand arbre où se balance, sur une chaise berçante faite de racines, un vieillard hideux. Vous frémissez avec horreur lorsque vous l'apercevez. Ses vêtements sont couverts de lichen et de mousse. Les ongles de ses doigts mesurent au moins dix centimètres, et des champignons poussent sur ses longs cheveux gris et sur sa barbe.

Il remet un gros su-sucre à l'ours-garou, qui s'en régale. Le vieil homme vous regarde comme ça, de longues minutes sans rien dire. Tu es tellement mal à l'aise que tu te mets à siffler en regardant ailleurs.

OUIIIIIIIIIIII !

Finalement, il daigne ouvrir la bouche.

« Seriez-vous assez gentils, commence-t-il d'une voix nasillarde, de faire pour moi une petite commission à l'épicerie tout au bout de la troisième racine du grand chêne ? »

Tourne les pages de ton livre jusqu'au chapitre 94.

47

Huit morts vivants vous poursuivent jusqu'au coin nord de l'enceinte du cimetière. Là, vous apercevez de la fumée noire qui s'échappe d'un des caveaux tout près. Vous réfléchissez : affronter ces bouffeurs de cerveaux ou vous engager encore plus profondément dans le royaume des morts ?

Vous poussez la lourde dalle qui recouvrait l'entrée du tout aussi dangereux caveau, car mieux vaut mourir tantôt que mourir tout de suite.

Vous dévalez les marches glissantes recouvertes de mousse. L'odeur de la fumée parvient à tes narines. C'est un mélange de chandelle qui se consume avec quelque chose d'autre. Comme une odeur de cadavre brûlé…

Vous descendez des dizaines de marches avant d'arriver devant une grande statue vraiment étrange. C'est de sa bouche que s'échappe cette fumée si malodorante. Vous faites un tour rapide de la petite pièce où vous êtes sans trouver d'issue.

De l'escalier proviennent les grognements caverneux des morts vivants qui s'amènent.

GREUUUUUUH ! GRRRRRR !

Allez au chapitre 3.

48

Avant de vous y engager, examinez bien chacune des planches du pont sur cette image…

Pour traverser…

… allez-vous marcher sur les planches numérotées 1, 2, 4, 6 et 7 ? Si oui, allez au chapitre 102.

Voulez-vous plutôt poser les pieds sur les planches numéros 1, 3, 5, 6 et 7 ? Dans ce cas, allez au chapitre 23.

49

Après une très longue marche dans la forêt, tu as la chance de tomber sur une route achalandée. Au bout de seulement quelques secondes, un camionneur au cœur tendre succombe à ton pouce tout tremblotant et te ramène à Sombreville. Là, tu constates que le temps a aussi passé et a fait ses dégâts. Rien n'est pareil ! Les édifices sont lézardés, et les jeunes qui allaient à l'école avec toi ne sont plus que de chétifs vieillards, eux aussi.

Tu te diriges vers ta maison, qui se trouve au coin de la rue, en te servant d'une branche d'arbre comme canne. Une jeune fille souriante t'aide à traverser la rue Latrouille jusqu'à l'entrée de ta cour.

Les jours passent, et tu te fais finalement à l'idée que les randonnées à bicyclette, les parties de basket dans le parc avec tes amis et les jeux vidéo, c'est bien terminé pour toi. Tu n'as plus l'âge, tu n'es plus qu'un vieux croûton qui ne peut que s'adonner au jardinage en essayant d'arroser les enfants qui essaient de lui voler des carottes. Dans le fond, tu n'as pas beaucoup changé, tu ne sais pas plus viser après... TOUTES CES ANNÉES !

FIN

50

TU SURSAUTES ET OUVRES LES YEUX !

Les deux mains enroulées autour des barreaux de la grille de l'entrée du cimetière, tu regardes tes amis d'une façon épouvantée.

« QUOI ? Qu'est-ce que tu as ? te demande Marjorie. On dirait que tu viens de voir ton dernier bulletin scolaire.

— Je crois que je viens de faire un cauchemar éveillé, lui réponds-tu, encore sous le choc. C'était horrible ! La créature a dit une parole magique, et nous nous sommes enfoncés dans le sol du cimetière. Des rats et des asticots ont mangé notre cadavre. C'était peut être une prémonition ?

— Moi, je dis que tu as des visions, s'exclame Jean-Christophe. C'est très courant. On voit ça dans presque tous les cimetières et les salons funéraires. Les gens croient avoir vu un cercueil s'ouvrir, ou le mort a carrément bougé. On imagine toutes sortes de trucs lorsqu'il y a des cadavres tout près, réaction normale... »

Convaincu que c'était ton cerveau qui t'avait joué un sale tour, tu suis Jean-Christophe qui, sûr de lui, pénètre dans l'enceinte du cimetière. Soudain, tout s'obscurcit autour de vous, comme si quelqu'un avait éteint la lune qui brillait en la soufflant... COMME UNE BOUGIE !

FIN

51

RATÉ ! Tu ne sais donc pas plus viser que le vieux Turmel, ce bonhomme qui déteste tous les enfants du quartier et qui essaie toujours de vous atteindre avec son boyau d'arrosage, lorsque vous vous servez de son jardin comme raccourci pour vous rendre à l'école. Pas une seule fois, il n'a réussi.

La gargouille te fixe intensément. Tu appuies à nouveau sur la gâchette de ton pistolet. Le jet d'eau manque totalement de force et ne fait que quelques centimètres devant le bout du canon. La gargouille te sourit en te montrant ses crocs bien acérés. T'enfuir est maintenant ta seule option. Tu essaies de te retourner pour filer, mais l'autre gargouille t'attrape de ses mains puissantes et t'emporte avec elle. Incapable de te soustraire à son étreinte, tu te laisses emporter au loin… TRÈS LOIN !

Tu vois ta demeure passer sous tes pieds et plus loin, les limites de Sombreville. Infatigable, la gargouille t'entraîne à des kilomètres au-dessus d'une grande forêt qui t'es inconnue. Finalement, juste au-dessus d'une clairière, elle amorce sa longue descente en traçant des cercles dans le ciel. À quelques mètres du sol, elle te laisse choir. **POUF** !

Comme font les parachutistes, tu fais un tonneau pour amortir ta chute, et tu te retrouves au chapitre 36.

52

Vous posez tous les trois vos mains sur le couvercle du cercueil et vous essayez de le soulever. Va-t-il s'ouvrir ? Pour le savoir…

… TOURNE LES PAGES DU DESTIN.

Si le cercueil s'ouvre, allez au chapitre 98.
Par contre, s'il est verrouillé, rendez-vous au chapitre 62.

53

Furtivement, tu sors de chez toi et tu t'enfonces dans la de la rue Mort-noire. Au bout, tu aperçois les silhouettes de Jean-Christophe et de Marjorie qui bougent nerveusement devant une petite forêt d'arbres morts dans laquelle se trouve… LE PLUS ANCIEN CIMETIÈRE DE SOMBREVILLE !

« Je l'avais presque oublié, ce vieux cimetière ! leur avoues-tu en arrivant à leur hauteur. Qu'est-ce qui vous fait dire que les squelettes en scooters viennent d'ici ?

— Les traces de pneus, te montre Jean-Christophe. Il y en a partout autour du cimetière. Ils convergent tous à l'entrée.

— Ce cimetière, nous allons le nettoyer à l'eau bénite, tonne Marjorie en te montrant fièrement une grosse bouteille remplie d'eau.

— Comment t'as fait pour avoir autant d'eau bénite ? lui demandes-tu. Tu ne vas pas me dire que tu l'as piquée à l'église…

— Tu me prends pour qui ? se choque-t-elle, le regard sérieux. Je ne suis pas une voleuse, je suis rusée. Il y a une grande différence. J'ai tout simplement demandé au curé de me bénir pendant que je tenais dans mes mains cette bouteille remplie d'eau, c'est tout ! »

Allez au chapitre 17.

54

Vous marchez longtemps accroupis en vous cachant derrière les arbres et les pierres tombales. De nombreux arbres et autant de pierres tombales plus tard, les grognements ténébreux des morts vivants finissent par s'estomper. Vous avez bel et bien réussi à quitter cette partie dangereuse du cimetière.

Comme tu allais souffler un peu, ton cœur se serre lorsqu'un vent glacial balaie soudain le cimetière.

OOUUUUUUUUUUUU !

Juste au-dessus de vos têtes, une nuée de grands oiseaux sombres tracent des cercles dans le ciel étoilé. DES CORBEAUX ! En groupe comme ça, ils sont dangereux. Ils peuvent même s'attaquer aux gens, ces carnassiers dégoûtants. Vous restez immobiles pour ne pas être vus. Au bout de quelques minutes, ils s'envolent ailleurs, sans doute étourdis d'avoir tracé autant de cercles dans les airs…

Plus loin, vous découvrez une immense brèche dans la clôture qui s'ouvre sur un sentier sombre dans le bois. Le monstre qui a fait ça doit posséder une force herculéenne. La grille a été pliée comme s'il ne s'agissait que de vulgaires attaches de sacs-poubelles. Par terre, il y a de grandes traces de pas. Tu comptes les orteils… SEPT ORTEILS PAR PIED !!!

Allez au chapitre 99.

55

Au bout, la crevasse remonte et vous ramène à la surface, sur la terre ferme. Détrempés et tout crottés peut-être, mais au moins en vie...

La pluie cesse. Autour de vous, il n'y a plus une seule pierre tombale... SEULEMENT DES SCOOTERS ! C'est le parking des squelettes. Prudemment, vous vous approchez. Ces scooters n'ont rien de mécanique, ils ont l'air de créatures vivantes prêtes à mordre. Marjorie ose toucher un des scooters. Sous la carrosserie de métal gris, elle sent... UN CŒUR QUI BAT !

Vous n'avez jamais vu rien de tel, une mécanique vivante... Si ces scooters sont vivants, alors pourquoi ne vous ont-ils pas transpercés avec leurs énormes crocs pointus ? Ils ne sont peut-être pas méchants, eux. Devant un sinueux sentier qui se perd loin dans la forêt, trois scooters appuyés sur leur béquille vous tendent leurs guidons. Jean-Christophe regarde les scooters, puis examine le sentier.

« NON ! fais-tu, car tu viens de comprendre qu'il a une idée derrière la tête et lorsque ton ami a une idée derrière la tête, elle est souvent farfelue, voire dangereuse...

— Tu veux faire tout ce trajet à pied, toi ? » te demande-t-il...

... en s'approchant des scooters au chapitre 70.

56

Aussitôt que tu poses le pied sur l'escalier conduisant à la berge, l'eau mauve de la rivière se retire. Vous sautez tous les trois de justesse sur la première marche. La chaloupe descend au fur et à mesure que le fossé entourant le temple se vide d'eau. Des dizaines de mètres plus bas, sur le lit vaseux de la rivière, de grands poissons mutants frétillent d'agonie. Impossible de retourner en arrière, à moins que vous soyez capables de faire un saut prodigieux.

Vous jetez un œil prudent au temple et remarquez que la porte est entrouverte. À l'intérieur, c'est complètement vide. Vous suivez les gouttelettes de sang qui s'arrêtent juste au-dessous d'une grosse poutre qui traverse le temple de part en part. Il y a plein de marques de griffes sur elle. Une chauve-souris vampire géante vient s'agripper à cette poutre pour dormir le jour, ça, c'est certain…

Vous ramassez tous les gros cailloux et vous formez une immense croix sur le plancher du temple ; de cette façon, cette chauve-souris SDF, Sans Domicile Fixe, devra trouver un autre logis dans une autre ville, et Sombreville sera à tout jamais débarrassée d'elle.

Au clair de lune, vous attendez patiemment que la marée haute remonte la chaloupe pour que vous puissiez retourner au chapitre 4.

57

Tu écartes les planches qui te recouvrent et tu grimpes à ce qui reste de l'escalier jusqu'au mécanisme de l'horloge. Le tic tac est assourdissant.

TIC ! TAC ! TIC ! TAC !

Tu observes les grandes roues dentées qui tournent devant toi en cherchant un moyen de les arrêter. Tu conjugues tes forces et tu essaies de les retenir. Rien à faire, le puissant mécanisme fait toujours avancer les aiguilles.

En bas, Gor pousse un grand cri terrifiant **GROOOUUUAH !** et se redresse d'un bond. Il plante ses doigts crochus entre les pierres du mur et escalade le bâtiment. Jean-Christophe réussit à dégager sa sœur Marjorie, qui était emprisonnée sous un amas de planches et de poutres. Ensemble, ils prennent la fuite, te laissant seul dans le bâtiment avec ce monstre dangereux. Tu cherches à comprendre pourquoi ils t'ont abandonné de la sorte, car la panique n'excuse pas tout…

Maintenant, Gor est juste au-dessous de toi. Tu cherches une trappe ou une porte par laquelle tu pourrais t'enfuir toi aussi. RIEN ! Il n'y a même pas un bout de bois avec lequel tu pourrais te défendre ou du moins vendre chèrement ta peau.

Rends-toi au chapitre 15.

58

Juste au moment où vous sortiez, Marjorie renverse maladroitement une petite étagère, **BROUUM !**

Tous les trois, vous anticipez avec crainte le « chut ! » de cette voix sinistre qui vous glace le sang à chaque fois. Mais à la place, des vagues de cire chaude recouvrent le sol. La cire durcit rapidement et soude vos pieds au plancher. Impossible de vous dégager. Une bougie géante s'approche de vous…

Trois nouveaux noms sont sur le point d'être inscrits dans le registre des morts de Sombreville…

FIN

C'est certain, il n'y a pas que des morts dans ce sinistre cimetière. Quelqu'un ou quelque chose habite les lieux, mais vous n'êtes pas capables de mettre le doigt dessus. Vous continuez à marcher, tout en étant sur vos gardes.

Tu te diriges vers l'entrée du mausolée et remarques que la tête des gargouilles bouge… ET SUIT TES PAS !

Tu t'arrêtes, et elles s'arrêtent. Tu recommences à marcher, et elles te suivent du regard. Tu fais un pas sur le côté, et la même chose se produit. Ces deux monstres de granit vont-ils s'envoler pour vous attaquer ?

PAS DE RISQUE À PRENDRE ! Tu ouvres la bouche pour prévenir tes amis ; les gargouilles, elles… VOUS OUVRENT LES PORTES DU MAUSOLÉE !

Téméraires que vous êtes, vous acceptez cette invitation de vos hôtes perchés sur le toit. Vous pénétrez dans le mausolée. La porte se referme sur vous. Vous êtes pris au piège ! Comment sortir maintenant de cet endroit sombre et lugubre ? Comme vous êtes enfermés tous les trois de cette façon, tu te demandes s'il n'aurait pas été mieux que vous vous mêliez de vos oignons…

Allez au chapitre 34.

60

Le chef des squelettes, en s'avançant pour mieux voir, pose le pied sur tes doigts. Tu deviens tout rouge à cause de la douleur. Il lance ensuite un hurlement de rage : « GRAAAOOOU ! » et disparaît avec les autres.
VROOOOUUUUMM !

Vous vous hissez sur la terre ferme, heureux d'être en vie. Vous longez le bord du gouffre en direction de la ville. Des pierres instables s'ébranlent en grondant **BRRRRRRR !** et vous êtes précipités dans le gouffre. Après cette chute terrible, vous retrouvez lentement vos esprits. Devant vous, le gouffre qui s'étend à des kilomètres vous paraît très risqué à cause des Sans-yeux qui y habitent. Des êtres qui ressemblent à d'inoffensifs cailloux, mais qui sont en fait des créatures avides de sang.

Vous sondez la paroi très à pic du gouffre en quête d'une partie facile à escalader. Soudain, une petite pierre dégringole de la paroi et roule jusqu'à toi… POUR TE MORDRE LE PIED !

Tu t'écartes d'elle. Voilà qu'arrive sur vous toute une avalanche de Sans-yeux. Vous filez comme des fous vous cacher dans l'ouverture profonde d'une très grosse roche… QUI SE REFERME SUR VOUS !

FIN

61

Le tunnel débouche sur une pièce éclairée par une unique bougie posée près d'un grand et ancien livre. Quelqu'un habite cet endroit. Qui aurait allumé cette bougie, sinon ? Vous vous approchez, sur vos gardes, du bouquin. Il est fermé, mais il y a cependant un signet placé entre les feuilles. Sur la couverture de cuir finement ciselé est inscrite cette mise en garde assez virulente : « Registre des morts. Il suffit de l'ouvrir pour y être inscrit... »

« Quelles sornettes ! dis-tu. Nous sommes près du but. C'est évident qu'il y a quelqu'un qui veut nous mettre des bâtons dans les roues.

— Tu crois ? » te dit Marjorie, un peu craintive.

Tu glisses l'index entre les feuilles ; le sol se dérobe sous vos pieds, et vous tombez jusqu'à une espèce de grande boîte où règne la plus grande des noirceurs. À l'étroit, tu tâtonnes. Autour de toi, tout est capitonné de velours... TU ES DANS UN CERCUEIL !

Paniqué, tu essaies de pousser le couvercle, mais il ne bouge pas d'un millimètre. C'est parce que tu es enterré dans un cimetière...

Tu n'aurais jamais dû ouvrir le Registre des morts !
Mords-toi les doigts et va ensuite au chapitre 91.

62

Même en combinant toutes vos forces, vous n'arrivez pas à l'ouvrir. Tu fais le tour du cercueil et découvres sur le côté une serrure énorme. Vous décidez de fouiller la salle de fond en comble en quête d'une grosse clé qui pourrait l'ouvrir. Marjorie la découvre accrochée à un bout de bois sur un des murs. Heureuse de l'avoir trouvée, elle prend la clé sans penser qu'il pourrait bien y avoir un piège. Et, bien sûr, sitôt la clé décrochée, le bout de bois pivote comme un levier et active un mécanisme infernal.

CLIC ! CLIC ! CLIC !

Le plancher se dérobe sous vos pieds, et vous chutez dans une autre espèce de pièce ronde remplie d'un liquide survolé par des centaines de mouches. Vos pieds ne touchent pas le fond. Vous essayez de garder la tête hors de cette très dégoûtante mixture. Autour de vous flottent sur le dos des rats morts et d'araignées immobiles. Tu essaies de nager d'une main, et avec l'autre, tu te pinces le nez, car ça pue l'essence. Oui, l'essence ! Vous êtes tombés dans le carburant qu'utilisent les squelettes pour faire fonctionner leurs scooters. Au moins, cette aventure aura servi à quelque chose. Oui, car vos corps qui vont se dissoudre dans l'essence vont servir à améliorer son indice d'octane… SUPER ! NON…

FIN

63

Vous continuez à avancer à l'intérieur de la branche. Autour de vous, les parois se rapprochent. Vous progressez, toujours à la lueur, parfois faiblarde, des petites lanternes. Devant vous, une respiration haletante se fait entendre. Tu arraches le pistolet à eau bénite des mains de Marjorie et tu t'approches sur la pointe des pieds. La grosse branche dans laquelle vous vous trouvez tourne comme un coude. Tu écoutes. Peu importe ce que c'est, ça se trouve juste après ce tournant.

Tu t'élances et, d'un bond prodigieux, tu te retrouves nez à nez avec un monstre aux proportions énormes. Tu voulais crier « surprise », mais c'est plutôt toi qui es stupéfait.

C'est un ours-garou à la mâchoire puissante et aux griffes acérées qui peut te réduire en bouillie en moins de deux. Ton pistolet ne peut rien contre ce monstre. Tu tournes les talons pour déguerpir. Va-t-il réussir à t'attraper ? Pour le savoir…

… TOURNE LES PAGES DU DESTIN.

S'il réussit à vous attraper avec ses grosses mains hideuses, allez au chapitre 46.

Si, par chance, vous réussissez à vous enfuir, allez au chapitre 12.

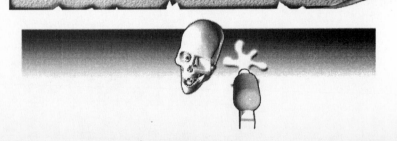

64

Jean-Christophe lève les épaules et écarte les bras.

« Désolé ! fait-il en s'excusant. Ça doit être mon imagination qui me joue des tours. »

Mais lorsque tu t'apprêtes à poursuivre ton chemin, **CRRRRRR !** un autre bruit survient. Il y a définitivement quelque chose d'autre dans le cimetière, car vous ne pouvez tout de même pas vous imaginer la même chose… EN MÊME TEMPS !

Observe à nouveau cette image du mausolée. Elle est différente de la précédente. Si tu trouves en quoi elle diffère, rends-toi au chapitre 39. Par contre, si tu ne remarques rien, va au chapitre 59. Tu peux la comparer avec l'image précédente, si tu le désires.

65

Vous vous précipitez vers la sortie. Là, vous devez vous écarter d'un bond rapide pour ne pas être tous les trois transpercés par les dents du grand crâne qui se referment comme la lourde grille du vieux château.

BLAM !

Impossible de vous évader du grand chêne du savant fou qui s'amène en riant de façon diabolique. Vous vous élancez dans une autre branche creuse. À l'entrée était inscrite une mention que vous n'avez pas vue : « BOUCHEZ VOS OREILLES ».

Tu cours devant tes amis jusqu'à un très minuscule auditorium où des statues sont assises. Sur la scène, il y a une grosse dame maquillée.

« Enfin des spectateurs ! vous dit la très rondelette cantatrice toute réjouie. Assoyez-vous ! Je vais vous fredonner ma plus belle mélodie. »

Vous vous exécutez, et aussitôt elle prend une grande inspiration et se met à hurler des sons si pétrifiants qu'ils vous transforment tous les trois… EN STATUES DE PIERRE !

« OUPS ! fait-elle en posant sa main devant sa bouche. Je crois que j'ai encore fait une fausse note… »

FIN

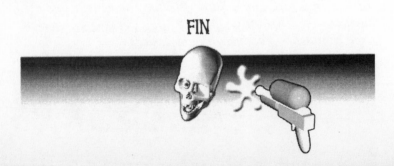

66

Vous errez comme ça des heures, sans trouver le moindre sentier qui pourrait vous ramener chez vous, à Sombreville. Une journée plus tard, vous apercevez quelque chose entre les arbres. Heureux, vous vous approchez et découvrez avec horreur les scooters que vous aviez laissés à votre arrivée dans cette forêt...

VOUS AVEZ TOURNÉ EN ROND !

Pas question de vous laisser décourager. Vous escaladez une colline pour mieux analyser la configuration des étoiles. L'étoile polaire est par là, la Grande et la Petite Ourse sont juste là. Tu lèves le bras et pointes entre deux arbres.

« Sombreville est dans cette direction », dis-tu avec confiance à tes amis, qui t'emboîtent le pas.

Vous errez encore comme ça des heures, sans trouver le moindre sentier qui vous ramènerait chez vous, à Sombreville. Une journée plus tard, vous apercevez quelque chose entre les arbres. Heureux, vous vous approchez et découvrez avec horreur les scooters que vous aviez laissés à votre arrivée dans cette forêt...

VOUS AVEZ ENCORE TOURNÉ EN ROND !

Allez-vous finir par vous en sortir ? Allez au chapitre 66. Oui oui, au 66...

67

Vous descendez les marches taillées dans le roc. Au pied de l'escalier se trouvent deux tunnels humides et sombres. D'horribles hurlements résonnent. Impossible de savoir d'où proviennent ces cris. Devant vous, un message sur le mur semble vous indiquer le chemin à prendre, si toutefois vous réussissez à le déchiffrer...

Devez-vous prendre le tunnel du chapitre 33 ou celui du chapitre 61 ? Étudie bien cette image et fais ton choix...

68

Vous filez comme des lièvres dans les dédales du cimetière, croyant avoir pris la bonne route. Devant toi, une paire de mains jaillit du sol et t'attrape la cheville. Tu chutes lourdement. À quelques centimètres de ton nez apparaît un visage blafard, OUAAH ! Tu essaies de te relever, mais tu en es incapable.

Jean-Christophe revient sur ses pas et assène quelques coups de pieds au zombie qui ne lâche pas prise. Marjorie intervient et asperge le monstre d'eau bénite. Il se met à fondre comme une chandelle. Tu te relèves et contournes le zombie qui n'est plus qu'une flaque de liquide gluant où nagent des vers et des asticots. Vous suivez, sans réfléchir, les couloirs qui vous guident jusqu'à une impasse où toute la meute de morts vivants s'est regroupée. Vous arrêtez net, pour revenir sur vos pas, mais la glu lumineuse vous barre la route. VOUS ÊTES CERNÉS !

Marjorie appuie sur la gâchette du pistolet à eau bénite et trace de grands cercles d'eau autour de vous comme un arrosoir de jardin, jusqu'à ce que le pistolet soit complètement vide. De nombreux morts vivants sont exterminés, mais il en arrive d'autres. Et ces autres, cachés sous l'ombre des arbres et des pierres tombales, pourront, tranquillement… DÉGUSTER VOS CERVEAUX JUTEUX !

FAIM

69

Ils te fixent intensément en grognant.

GGGGRRRRR ! GRRRRR !

La bave coule entre leurs longues dents. À côté de toi Marjorie fait déjà ses prières. Dans un geste de désespoir, tu attrapes un bout de branche.

« Tu ne vas pas te battre avec eux, te chuchote Jean-Christophe. Ils vont te mettre en pièces. »

Ton ami n'a rien compris. Tu fais tourner le bout de bois sous leur nez et tu le lances au loin en criant :

« ALLEZ CHERCHER ! »

Les deux dobermans sortent la langue, branlent la queue et courent vers le bout de bois. Vous partez dans la direction opposée. Les deux chiens reviennent malgré tout quelques secondes plus tard pour déposer à tes pieds… DEUX GRANDS OS !

BEUARK !

Vous prenez avec dégoût les deux os et vous les lancez très très loin. Encore une fois, vous essayez de les semer, mais à l'extrémité du cimetière, vous arrivez face à face avec eux. Là, ils déposent devant vous… UN COFFRE ET UNE CLÉ !

Allez au chapitre 18.

70

Assis tous les trois sur les scooters, vous analysez le système de filage à la recherche du bouton de mise en marche. N'appuie pas sur le mauvais... SINON...

Rends-toi au chapitre inscrit sous le bouton que tu auras choisi...

71

SPLOUCH ! et **VABOOUUM !** Tu as désintégré le loup…

Vous quittez tout de suite cet endroit de malheur, car vous n'avez pas l'intention d'attendre que tous ces autres animaux féroces reviennent du pays des morts. Vous parcourez un long et interminable couloir bordé d'innombrables portes. L'une d'elles est solidement barricadée de planches. Juste au-dessus de la porte est peint, à l'envers, cet avertissement : « SORTIE IN-TERDITE ». Votre curiosité l'emporte sur vos craintes. Vous arrachez les planches et vous entrez.

Dans cette grande salle, tout est à l'envers. Vrai-ment à l'envers, car le mobilier est comme… CLOUÉ AU PLAFOND ! Vous cherchez à comprendre.

Tu observes, bouche bée, le foyer allumé dans le-quel brûlent des bûches de bois. Même les flammes sont inversées et brûlent vers le bas. C'est comme si la force d'attraction terrestre était inversée. Tu demandes des explications à Jean-Christophe, mais c'est Marjorie qui te répond. Tu lui précises que tu t'adresses à Jean-Christophe, mais elle te dit que c'est elle Jean-Christophe.

Jean-Christophe se tourne vers toi et te dit :
« Je suis Marjorie… »

Tourne ton Passepeur à l'envers, OUI ! à l'envers, et rends-toi au chapitre 29.

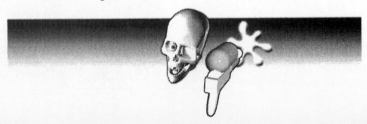

72

Vous écoutez religieusement. Le zombie fait quelques pas dans la pièce puis, plus rien, silence total. Tu sors la tête et remarques qu'il est disparu par un passage secret.

Vous fouillez de fond en comble le mausolée. Rien, pas de passage secret. Vous fixez tous les trois les cercueils, tu tournes la tête de gauche à droite en signe de négation, car il ne faut pas faire ça. Il ne faut pas profaner des sépultures ; cela pourrait vous coûter cher. Mais Marjorie en a déjà ouvert un. Tu t'approches et regardes. Pas de passage, juste un squelette sec. Par respect, vous refermez le couvercle.

« Il y en a des dizaines, fais-tu remarquer à tes amis. On ne va pas tous les ouvrir… »

Jean-Christophe se gratte la tête et s'approche d'un cercueil situé juste au milieu de la salle. Celui-là est différent des autres : il est très grand et, en plus, il n'est pas en bois d'acajou, mais en pierres de granit. Le couvercle est lourd ; vous devez conjuguer vos forces pour l'ouvrir. À l'intérieur, BINGO ! un escalier…

… qui conduit au chapitre 67.

Tu t'approches d'une première stèle et tu souffles la poussière qui cachait les lettres gravées dans le beau marbre rose pour y lire cette triste épitaphe : « Ci-gît Anatoline Dratom. Morte en 1986, happée par une voiture. » Marjorie pousse les toiles d'araignées sur une autre...

« Ici, j'ai Romuald Dratom, te dit-elle. Pauvre lui, il est mort écrabouillé par un camion en 1954. Ce qui reste de lui se trouve derrière cette stèle funéraire. J'voudrais pas voir cela...

— Ici, il y a Pierre Dratom et Robi Dratom, te rapporte Jean-Christophe. Ils ont été frappés par une voiture, eux aussi... »

Vous regardez rapidement autour de vous. Il semblerait que tous les membres de cette famille sont décédés de mort violente. Plus précisément... LORS D'ACCIDENTS DE LA ROUTE !

« C'est comme si une malédiction avait décimé toute la famille, réfléchis-tu. Quel destin cruel...

— Le tout premier des Dratom est arrivé ici à Sombreville en 1813, vous explique Jean-Christophe. Il faut trouver son cercueil. Il ne peut pas être mort d'un accident de voiture, puisque les autos n'existaient même pas dans ce temps-là. »

Vous fouillez le mausolée afin de trouver la tombe de Gor Dratom au chapitre 27.

Un bruit inquiétant survient. **CLIRC ! CLIRC ! CLIRC !** Sous vos pieds, les marches disparaissent et font place à une chute. Vous glissez et vous atterrissez lourdement sur le sol terreux d'une très ancienne crypte oubliée. Cet endroit ne présage rien de bon, car vous êtes entourés de sépultures béantes, et qui dit cercueils ouverts dit cadavres ressuscités…

Une peur indescriptible s'empare de toi. Vous progressez discrètement dans des réseaux de couloirs humides et sombres. Par terre, vous apercevez une des espadrilles de Marjorie. Puis, un cri d'horreur retentit et glace ton sang…

« MARJORIE ! » hurle Jean-Christophe.

Au pas de course, vous parvenez à atteindre une grande salle dans laquelle maintes silhouettes drapées de noir sont prosternées. Marjorie est là, attachée sur un grand bloc de pierre ; elle va être offerte en sacrifice à un dieu…

Armé du super pistolet, le grand prêtre rouge s'approche d'elle et l'asperge d'eau. Les jolis yeux verts de Marjorie tournent au blanc et sa peau devient verdâtre… COMME UN ZOMBIE !

Allez, Jean-Christophe et toi, au chapitre 96.

75

En catimini, vous essayez tant bien que mal de suivre les traces de cet être sans corps dans le sol très humide. Est-ce un homme invisible ou un spectre monstrueux ?

Au beau milieu du cimetière, les traces s'arrêtent. Vous avez deviné que cet être se doute qu'il est suivi. Accroupis derrière un bosquet, vous ne bougez pas un muscle, car lui, il a un avantage sur vous… IL PEUT TRÈS BIEN VOUS VOIR !

Vous restez immobiles comme ça de longues minutes. Quelque chose t'attrape tout à coup la cheville. C'EST LUI ! Il enroule ses longs doigts transparents autour de ta jambe. Tu essaies de hurler, mais pas un seul son sort de ta bouche. Marjorie et Jean-Christophe essaient de te retenir, mais rien à faire, cette chose te tire hors de ta cachette et te traîne jusqu'à l'entrée. Là, il te pousse à l'extérieur de l'enceinte du cimetière. Debout près de la grille, tu entends les cris de tes amis qui sont tour à tour carrément foutus dehors.

Devant vous, la lourde grille du cimetière se referme bruyamment.

BLANG !

Désemparés, vous cherchez tous les trois à comprendre.

Allez au chapitre 80.

« 1, 2, 3, 4, mon p'tit monstre a mal aux verrues, chantes-tu en pointant tour à tour les bouteilles. Tirons-lui les trois bras, il ira bien mieux… »

Tu saisis la bouteille du milieu. Sur elle, il est écrit « NON ». C'est clair comme de la bave verte de cyclope, mais tu n'es pas capable de lire la langue des sorcières. Vous retournez auprès du monstre qui ingurgite le tout d'un seul trait. Vous vous éloignez. La réaction ne tarde pas à venir. Le monstre émet quelques grognements et puis **PROOUUUUUT !** et un gros nuage putride se forme autour de lui.

« Il a pété », sourit Marjorie.

L'odeur est tout simplement abominable. Vous vous pincez le nez et cherchez vite la sortie. Le nuage vert court rapidement dans toutes les branches creuses du grand chêne, qui se met à frissonner. Ses branches se mettent ensuite à grincer et gémir. Il va s'écraser sur le sol, et vous serez écrabouillés sous des tonnes de bois et d'écorce.

Le grand chêne penche d'un côté puis de l'autre. Vous essayez de garder votre équilibre en vous accrochant aux parois. Il penche ensuite vers l'avant et, dans un craquement à vous défoncer les tympans, **CRAAAAAC !** il se brise en deux et **BRAOOOUUUUM !**

FIN

77

Cachés tous les trois dans une fissure sombre de l'arbre, vous regardez, immobiles, passer devant vous la meute frétillante de bouquins dangereux. Tu laisses échapper un soupir de soulagement lorsque leurs grognements s'estompent au fur et à mesure qu'ils s'éloignent.

Vous sortez de votre abri et arrivez face à face avec un petit livre retardataire tout blanc qui rampe sur le sol. Vous vous emparez de lui avant qu'il ne donne l'alerte. Vous le menacez avec votre pistolet d'eau bénite jusqu'à ce qu'il fasse apparaître son titre, l'illustration sur la couverture et les textes sur chacune de ses pages.

Tu remarques tout de suite qu'il s'agit... D'UN PASSEPEUR !

C'est le numéro 14, *Scooter terreur*. Votre aventure n'est même pas terminée, et il est déjà écrit. C'est de la sorcellerie ! Vous l'ouvrez et découvrez que, pour terminer cette aventure, il faut que vous empruntiez le chemin conduisant... AU MAUSOLÉE !

Tu refermes le livre pour le mettre dans ta poche ; il t'échappe des mains et s'envole, comme tous les Passepeur.

Armés de ce précieux renseignement, vous retournez au chapitre 4.

78

Tu décroches la clé du clou rouillé et découvres qu'un long fil est attaché à elle. Tu n'oses pas tirer. Le fil disparaît dans un trou pratiqué dans le mur et relie cette clé à un mécanisme qui se trouve de l'autre côté.

Sous tes pieds, tu remarques les contours d'une trappe.

« AH ! AH ! » fais-tu en montrant le piège à tes amis.

Rusé, tu écartes les jambes de chaque côté de l'ouverture et tu tires sur la clé.

CLIC ! CLIC ! CLIC ! CHLAC !

La trappe s'ouvre sur une fosse creuse au fond de laquelle reposent sur de longs pics meurtriers les restes des squelettes d'aventuriers beaucoup moins futés que toi.

Tu souris à tes amis et tu glisses la clé dans le trou de la serrure. Immédiatement, un très fort courant électrique passe de la clé… À TA MAIN !

BZZZZZZZZZZZZZZ !

Je sais que cela va faire comme un CHOC pour toi, mais malheureusement, ton aventure est arrivée à sa…

FIN

79

1 h 15 du matin, vous vous rendez tous les quatre à travers les rues désertes de Sombreville, jusqu'à l'hôpital. Vous jetez un œil à l'entrée. Personne, ça tombe bien. Le garde de sécurité est parti faire sa tournée. À l'intérieur, vous progressez silencieusement dans les longs corridors en suivant les panneaux indicateurs jusqu'à la salle des rayons X.

Tu jettes un coup d'œil à la fenêtre de la porte. Personne ! Vous entrez...

Le squelette se couche sur la grande table de métal froid sous l'étrange appareil, sans que tu le lui demandes.

« Alors, s'impatiente Marjorie. Tu vas finir par nous le dire c'est quoi ton plan ?

— Cette étrange machine est très spéciale, leur expliques-tu. Vous voyez ces deux gros boutons ? Le premier, où est inscrite la lettre X, permet aux médecins et aux chirurgiens de voir directement à l'intérieur d'un corps, sans avoir besoin de radiographie. Le deuxième, sur lequel est inscrite la lettre Z, est celui qui nous intéresse. Il fait l'inverse. Il va recréer, d'une façon virtuelle, le corps autour de ce squelette. Pendant quelques minutes... NOUS POURRONS LUI PARLER...

Appuie sur le bouton et rends-toi au chapitre 31.

Quelques secondes plus tard, tout redevient silencieux. Les deux mains sur les barreaux, vous examinez avec attention le cimetière. Croyez-vous que la voie est libre maintenant ?

Regarde bien cette illustration. Si tu penses que cette créature invisible est toujours là, va au chapitre 83. Si, par contre, tu as la certitude qu'elle n'est plus dans les parages, rends-toi au chapitre 37.

81

Le jet d'eau bénite arrive en plein visage de la gargouille, qui explose en projetant de la glu partout.

POOOUUUFAAARK !

« ÇA MARCHE ! » hurles-tu.

Tu te retournes vite et tu pointes ton super pistolet afin de pulvériser l'autre. Mais par crainte qu'il ne lui arrive la même chose, elle a fait demi-tour et maintenant, elle disparaît dans la nuit. Elle va te foutre la paix celle-là, c'est certain.

Tes amis se tiennent dans l'embrasure des portes du mausolée, qui ont fini par céder sous l'assaut répété du costaud Jean-Christophe. Tu cours vers eux, et vous entrez.

« Dratom ! lit Marjorie en grosses lettres sur le plancher. Qu'est-ce que ça veut dire : Dratom ?

— C'est le mausolée des Dratom, vous explique Jean-Christophe. Les Dratom étaient l'une des plus vieilles familles de Sombreville. Ils faisaient la pluie et le beau temps à l'époque. Surtout la pluie, selon ce que j'ai entendu dire. Des gens vraiment détestables, il paraîtrait. Le dernier descendant des Dratom est mort en 1998, je crois. »

Tourne les pages de ton livre jusqu'au chapitre 73.

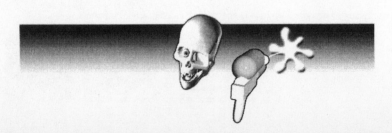

82

Près de l'entrée, il y a toute une rangée de distributrices de bonbons. La première contient des yeux de toutes tailles qui te regardent. Brrr ! ça te donne la chair de poule. La deuxième est pleine de sable. Tu t'approches et remarques que des grosses fourmis de couleur orange y ont creusé leur nid. POUAH ! La troisième est remplie des boules de gomme multicolores. Là, c'est O.K. !

Tu glisses une pièce de monnaie dans la fente et tu tournes la poignée.

CHLIC ! CHLIC ! CLOC !

Une boule verte tombe dans le petit réceptacle et se brise, libérant une espèce de grosse guêpe mutante qui fonce sur toi toutes ailes battantes.

Tu arraches des mains de Marjorie ton super pistolet à eau bénite et tu appuies sur la gâchette en suivant la trajectoire virevoltante du gros insecte. Vas-tu réussir à l'atteindre ? Pour le savoir…

… TOURNE LES PAGES DU DESTIN.

Si tu réussis à l'atteindre, va au chapitre 43.
Si, par contre, tu as mal visé, rends-toi au chapitre 90.

Oh ! que tu as bien fait de manger tes carottes tous les jours, car ta vision parfaite t'a permis de percevoir les contours flous de cette créature invisible. Vous faites le tour d'un pâté de maisons pour déjouer la créature qui surveille toujours.

De retour devant la grille du cimetière, tu mets encore une fois à profit tes bons yeux et vois très bien qu'elle n'est plus là. Elle est tombée dans le panneau. Elle a cru que vous retourniez chacun chez vous.

Vous ouvrez la grille en prenant bien soin qu'elle ne grince pas sur ses gonds rouillés. Vous contournez les pierres tombales et les fosses jusqu'à un gros arbre plein de champignons, tombé depuis très longtemps. Marjorie saute par-dessus. En atterrissant de l'autre côté, elle fait basculer une grosse roche dans une fosse ouverte de laquelle proviennent des petits cris étouffés. Vous vous éloignez au plus vite. Pendant que, devant tes amis, tu joues au radar en scrutant le cimetière à la recherche de la créature invisible, deux gros dobermans enragés surgissent de chaque côté de vous. C'est lorsqu'on cherche quelque chose avec minutie que l'on ne voit pas ce qui saute aux yeux…

Allez au chapitre 69.

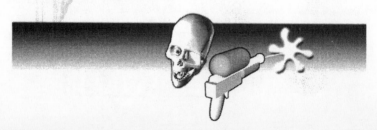

84

Boudeur, Jean-Christophe te suit en donnant de temps à autre des coups de pieds sur des cailloux. Tu essaies de lui faire comprendre que, une de ces nuits, sa soif d'aventure va lui coûter cher. Mais il t'ignore et regarde ailleurs.

Tu poursuis, mal à l'aise, l'exploration de l'enceinte du cimetière. Vous arrivez devant une petite cabane de bois aux murs lépreux. C'est sans doute l'endroit où le fossoyeur entrepose ses pelles et ses pics pour creuser les fosses. Tu colles ton visage à la vitre sale de la fenêtre. À l'intérieur, c'est la noirceur absolue. Tu poses ton index sur les lèvres pour signifier à tes amis de ne pas faire de bruit car... TU ENTENDS RESPIRER !

Tu fouilles des yeux la noirceur ; la porte s'ouvre avec un grand fracas, **BRAOUMM !** Un vieil homme surgit en brandissant un crucifix sous vos yeux.

« ARRIÈRE, IDIOTS DE VAMPIRES ! hurle-t-il en fonçant sur toi. Vous n'aurez pas une seule goutte de mon sang. J'en ai besoin encore pour quelques années... »

Retournez en courant au chapitre 4 avant que ce fossoyeur fou ne vous transperce le cœur... AVEC SON PIEU ET SON MARTEAU !

85

Vous tirez et vous tirez, mais rien à faire. Il faudrait lui faire boire une potion rétrécissante pour le sortir de là. Cet arbre géant possède une multitude de branches qui partent dans toutes les directions. Au bout de l'une d'elles, il y a peut être une cuisine ou un genre de laboratoire dans lequel vous pourriez trouver toutes sortes d'élixirs ou de philtres de sorcière aux pouvoirs extraordinaires.

Vous revenez jusqu'à l'escalier où se trouve le carrefour de branches creuses. Vous empruntez celle où règne une fumée âcre. Il y a quelque chose qui cuit à l'autre bout, c'est certain. Le long passage en bois débouche comme vous espériez sur une petite pièce. Dans une marmite placée sur un petit feu bouillonne un étrange liquide rose. Il y a ici toutes sortes de trucs intéressants. Des objets magiques aux formes bizarres, des herbes et des feuilles d'arbre médicinales et des fioles remplies de liquide coloré.

Cuisine ou laboratoire ? C'est difficile à dire. En tout cas, ici, on peut pratiquer toutes sortes d'expériences de magie blanche, rouge... ET NOIRE !

Tu voudrais bien fouiller l'endroit de fond en comble, mais vous devez aider l'ours-garou.

Allez au chapitre 20.

86

Soudain, le livre frissonne dans tes mains, et des crocs poussent entre les deux couvertures. Tu le laisses tomber par terre. Partout autour de vous, des dizaines de gros bouquins se mettent à bouger dans un grondement terrible. **BBRRRRRRRRRRR !**

Ils glissent de leurs étagères... ET SE JETTENT SUR VOUS !

Vont-il réussir à vous attraper ? Pour le savoir...

... TOURNE LES PAGES DU DESTIN.

S'ils vous attrapent, allez au chapitre 44 et attendez-vous au pire.

Si vous réussissez à les semer, courez vers le chapitre 77.

87

Ta curiosité l'emporte sur tes craintes, et tes doigts se referment sur l'objet. Tu lèves la main et tu l'ouvres pour découvrir qu'il ne s'agit en fait que d'une grosse bille sale.

OUF!

« Qu'est-ce que c'est ? Qu'est-ce que c'est ? » te demande deux fois Marjorie, curieuse.

Tu te tournes vers elle, en souriant diaboliquement.

— C'EST UN ŒIL HUMAIN ! lui cries-tu en promenant l'objet sous son nez. BOOOUUUUAAAH !

Marjorie sursaute et tombe à la renverse dans le sol vaseux.

— Ce n'est qu'une bille, lui montres-tu alors qu'elle se relève, le visage épouvanté. Je t'ai bien eue.

— PAS GÉNIAL ! rugit-elle. Pas génial du tout. Tu crois que c'est le temps de déconner ?

— J'ai fait cela pour détendre l'atmosphère, essaies-tu de lui expliquer.

— Moi aussi, je peux détendre l'atmosphère, comme tu dis, lance-t-elle en pointant le super pistolet à eau bénite dans ta direction.

— Tu n'oserais pas », la défies-tu.

PSSSSSSSSSSSSS !

Va au chapitre 30.

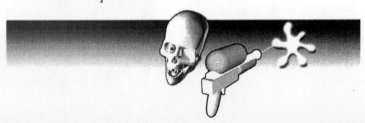

88

Vous appuyez tous le trois sur le bouton en forme de chauve-souris, et vos scooters terrifiants démarrent. **VRROOOUUUMM !** OUAIS !

Marjorie est très nerveuse. C'est normal, car jusqu'ici, elle n'a conduit qu'une trottinette et un vélo de montagne. Tu la rassures en lui disant que ces scooters... SE CONDUISENT TOUT SEULS ! Mais tu ne crois pas si bien dire, car le moteur de vos trois scooters s'emballe, et vous êtes entraînés contre votre gré dans le sinueux sentier.

Tu essaies d'appuyer sur les freins : rien à faire. De toutes tes forces, tu tentes de tourner le guidon, mais le scooter ne répond pas. Tu dois avoir appuyé sur le mauvais bouton…

Tu voudrais bien t'éjecter, mais tu te briserais la nuque sur un des gros arbres qui défilent rapidement chaque côté de toi. Résignés à votre triste sort, vous faites du motocross comme ça pendant des heures, jusqu'à ce que les scooters aient épuisé toute l'essence que leur réservoir contenait. Finalement, ils s'arrêtent. Tu enjambes la selle. Ton derrière te fait terriblement mal. Autour de vous, il n'y a que la forêt… BEAUCOUP DE FORÊT !

Vous marchez jusqu'au chapitre 66.

89

« Une grosse tête de mort, une spirale et une petite tête de mort, remarques-tu sur l'étiquette de la troisième bouteille. Ça ne peut être que celle-là. »

Tout ce qui reste à faire maintenant, c'est réussir à faire boire cette bouteille à l'ours-garou. Vous retournez auprès de lui. Comprimé dans le passage, il pleurniche toujours comme un bébé… MONSTRE !

Il ouvre grande sa gueule dentée et tu vides le tout entre ses grosses babines. Tout de suite, le monstre se met à frissonner. Ensuite, il émet un terrible rugissement GROOOOOOUUUUUU ! et, sous vos yeux écarquillés, il se transforme en un inoffensif petit écureuil qui, soulagé, déguerpit aussitôt par un trou dans l'arbre. Difficile à croire : les ours-garous qui rôdent dans les bois sont en fait des écureuils qui se métamorphosent les nuits de pleine lune…

La voie est libre. Tu jettes la bouteille vide, et vous avancez vers la bibliothèque. Tout au bout de la branche creuse, vous vous retrouvez entourés de centaines de livres anciens placés méthodiquement dans des étagères sculptées à même l'arbre. Les livres sont placés par ordre alphabétique inversé, de Z à A.

Pourquoi ? Allez au chapitre 19.

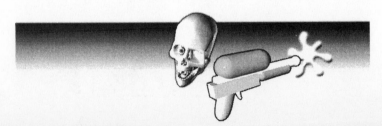

90

MAL VISÉ !

La guêpe mutante arrive avec son dard empoisonné. Tu fais, juste au dernier moment, un plongeon spectaculaire pour t'écarter. Elle zigzague dans les airs et revient à la charge. Tu réussis une seconde fois à l'éviter en rampant comme un serpent. Marjorie et Jean-Christophe essaient de reculer et, ce faisant, ils font tomber par terre toutes les distributrices, qui se vident de leur contenu. Des dizaines d'œufs se brisent sous le choc, libérant ainsi d'autres guêpes. L'épicerie se remplit vite d'un essaim de ces vilaines bestioles.

Tu avances comme ça, sur le ventre en direction de la sortie. Juste à un mètre de la porte, tu arrives face à face avec la colonie de grosses fourmis oranges. Elles font claquer sous ton nez leurs mandibules tranchantes.

Pas question que les Téméraires perdent une bagarre contre de vulgaires bestioles. IL TE FAUT DE L'INSECTICIDE ! Tu roules sur le côté et attrapes au hasard une canette aérosol. Tu appuies sur le vaporisateur, et un nuage blanc se forme devant toi. Il se met à rire de façon diabolique. HA ! HA ! HAA!

DES FANTÔMES EN AÉROSOL ! Il y a de tout dans cette épicerie…

FIN

91

Tu te dis que, dans quelques minutes, tout sera terminé pour toi, car tu vas finir par manquer d'air. Mais il n'en est rien. Les heures passent, et tu es toujours là. Plus tard, tu te mets à gratter et gratter le couvercle du cercueil qui a fini par pourrir avec le temps. Ensuite, tu réussis, en creusant la terre humide, à atteindre la surface du cimetière.

Debout devant ta fosse, une pierre tombale... PORTE TON NOM! C'est une très mauvaise nouvelle, ça. Tu remarques juste-là que tu as la peau horriblement blanche. Tout près, devant un petit monument portant le nom de Marjorie, une main verdâtre pousse la terre et apparaît... C'EST ELLE! Vous creusez tous les deux la fosse voisine pour sortir Jean-Christophe des ténèbres de sa fosse.

Le lendemain, à l'école, personne ne se doute que vous êtes devenus... DES ZOMBIES! Même que vous avez réussi à berner le directeur, qui croit que ce teint pâle que vous arborez n'est en fait qu'une autre mode qu'il ne comprend pas, d'ailleurs. Tout est parfait, ouais! Mais il y a juste une petite chose : si tu pouvais te débarrasser de cet incontrôlable désir que tu as de vouloir croquer le cerveau qui flotte dans l'alcool dans le labo de bio, là, ça serait... VRAIMENT PARFAIT!

FIN

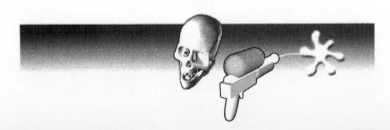

92

Pour connaître le résultat du vote, ferme ton Passepeur et dépose-le dans ta main, bien à plat. À l'endroit ou à l'envers, comme tu veux...

Si la couverture de ton livre se soulève, ne serait-ce que de quelques millimètres, alors Marjorie a aussi levé la main. Tu as donc perdu. Tu dois suivre tes amis dans le sentier au chapitre 103.

Si, heureusement pour toi, la couverture de ton Passepeur ne bouge pas, Marjorie n'a pas levé la main. Donc, tu gagnes, et il n'est pas question d'emprunter ce dangereux sentier. Dans ce cas, va au chapitre 84.

93

Tu prends la clé à la forme de tête de démon. Elle s'insère parfaitement dans le trou de la serrure. Avec confiance, tu la tournes vers la gauche, et **CLIC !** la porte s'ouvre toute grande.

Immédiatement, un fort vent brûlant vous force à entrer, et des mains invisibles referment la porte bruyamment, **BLAM !** Autour de vous, tout est rouge à cause des flammes.

Il fait super chaud ! Est-ce la boutique qui brûle ? Non ! Vous découvrez bouche bée qu'une petite maquette d'épicerie a été placée derrière la porte de façon malveillante pour attirer et berner ceux qui oseraient épier par le trou de serrure.

Sur terre, il y a treize portes cachées qui s'ouvrent sur l'enfer. ATTENTION ! Ce qui peut vous sembler n'être qu'un simple club vidéo ou une école normale peut se révéler être pour vous une fois le seuil franchi… LE GOUFFRE DES SOUFFRANCES ÉTERNELLES !

Les Téméraires ont découvert une de ces portes… IL EN RESTE ENCORE DOUZE !

SOYEZ SUR VOS GARDES…

FIN

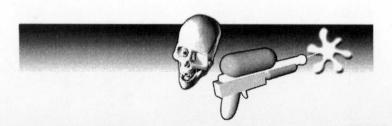

« Euh, oui oui m'sieur ! lui dis-tu. Si ça peut vous rendre service.

— En retour, je vous offre une réponse, vous propose-t-il fièrement. Une réponse à n'importe quelle question, celle que vous voulez. Je ne suis peut-être qu'un vieux vieillard vieillissant, mais j'ai réponse à tout. »

Vous acceptez, car il y a des tas de questions qui te travaillent l'esprit. Le vieil homme te remet quelques pièces de monnaie toutes sales ainsi qu'une petite liste toute aussi crottée. Vous descendez tout de suite l'escalier du tronc de l'arbre jusqu'à la troisième racine. Une lourde porte verrouillée vous bloque l'entrée.

Vous examinez la serrure et vous allez au chapitre 14.

Vous arrivez dans une immense grotte rouge. Au centre, un long pont suspendu traverse un gouffre rempli de lave bouillonnante. De l'autre côté, il y a une majestueuse porte bordée de colonnes sculptées. Où conduit-elle ?

Un mort vivant essaie de traverser le pont. Il se met à tituber lorsqu'une planche pourrie cède, **CRAC !** Il essaie de retrouver son équilibre, mais une seconde planche se brise, **CRAAAAC !** Il tombe et plonge dans la lave chaude. **PLOURB !** Le mort vivant s'enflamme et disparaît dans un gros bouillon. Voilà pourquoi cette fumée sent le cadavre brûlé. Il ne doit pas être le seul à avoir essayé de traverser le pont.

Votre progression pourrait se révéler plutôt dangereuse si vous tombez, mais la porte qui se trouve de l'autre côté possède une force d'attraction irrésistible qui vous attire comme un aimant le fait pour le fer. Vous évaluez la situation, car si vous tombez, il n'est pas question de rejoindre l'autre rive.. À LA NAGE !

Vous décidez tous les trois de... TENTER LE DIABLE !

Le pont suspendu se trouve au chapitre 48, allez-y...

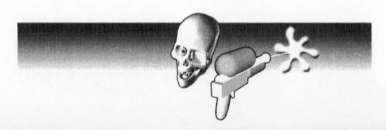

Tu comprends qu'il a vidé l'eau bénite de ton super pistolet pour le remplacer par de… L'EAU BÉNITE PAR LE DIABLE !

Elle est devenue une des leurs, une morte vivante. Mais ce n'est pas une raison pour l'abandonner ici. Tu t'élances avec fureur vers l'hôtel pour la délivrer. Jean-Christophe protège ta manœuvre en lançant des cailloux sur la tête du grand prêtre. Tu réussis à détacher Marjorie, et vous vous enfuyez tous les trois. BON TRAVAIL D'ÉQUIPE !

De retour au pied de l'escalier, vous époussetez quelques pierres et découvrez un bouton qui fait réapparaître les marches vous ramenant hors de cette crypte et ensuite jusqu'à la demeure de tes amis…

Le lendemain matin, pour ne pas éveiller les soupçons, vous vous rendez tous les trois à l'école en ayant bien pris soin de faire porter des verres fumés à Marjorie afin de cacher ses yeux sans pupilles. Dans la cour d'école, tu te croises les doigts et espères que vous passerez inaperçus. Peine perdue ! Tout le monde se réunit autour de vous. À ta grande surprise, ils trouvent cool le nouveau look de Marjorie : les lunettes de soleil, la peau verte et ces vêtements noirs, c'est très HOT ! Tellement hot que tous les jeunes de l'école… ONT ADOPTÉ SON STYLE !

FIN

97

Ton super pistolet braqué devant toi, tu avances vers la tour. Tes deux amis suivent derrière. Un des squelettes vient de vous apercevoir. Il tourne le guidon de son scooter dans ta direction. À bien y penser, tu voudrais bien te trouver ailleurs, mais là, il est trop tard… IL ARRIVE À TOUTE VITESSE !

Tu fermes les yeux et tu appuies sur la détente, **PSSSSSSSSSSS !** Le jet d'eau bénite atteint de plein fouet le scooter, qui explose, répandant ainsi les os du squelette partout. Marjorie reçoit un tibia sur la tête.

« AIE ! »

Avertis de votre présence par la détonation, les autres squelettes arrivent comme des boulets et vous encerclent. **VROOOUUUUUM ! VROOOUUMM !**

Tu en détruis un deuxième et un troisième. Ils sont trop nombreux : tu vas finir par manquer de jus. Il faut que tu te gardes des munitions pour Gor. Un scooter s'amène en plein sur toi. Tu te jettes par terre juste avant d'être transpercé par ses immenses dents. Le squelette perd la maîtrise de son bolide et va s'écraser sur un arbre.

Les trois derniers ont réussi à cerner Marjorie et Jean-Christophe et sont sur le point de les écrabouiller…

Va vite au chapitre 35.

98

Vous réussissez à l'ouvrir. Vous n'êtes pas du tout étonnés de voir qu'il n'y a pas de cadavre dans le cercueil, mais plutôt un escalier sombre traversé de toiles d'araignées.

Une odeur d'essence parvient à vos narines et confirme que vous êtes sur la bonne voie. Vous enjambez le cercueil et vous empruntez l'escalier. À mi-chemin, ton flambeau s'éteint, sans raison apparente, et vous vous retrouvez dans le noir. Vous devez faire le reste du chemin dans la noirceur totale. En bas, au pied de l'escalier, tu as beau attendre, immobile, que tes yeux s'adaptent, mais tu ne vois absolument rien, il fait vraiment trop noir. Tu cherches à tâtons l'interrupteur, car c'est certain qu'il y en a un. Vas-tu réussir à le trouver ?

Pour le savoir, tu dois, pour commencer, fermer ton Passepeur et tes yeux.

Maintenant, si tu réussis, en tâtonnant ton livre, à trouver le mot Passepeur écrit en grosses lettres sur la couverture, eh bien, tu as réussi à trouver l'interrupteur sur le mur, alors ouvre la lumière au chapitre 24.

Si, par contre, tu ne le trouves pas, c'est malheureusement au chapitre 106 que tu dois aller.

99

Jean-Christophe s'engage dans le sentier. Tu l'arrêtes…

« EH ! OH ! STOP ! fais-tu sèchement. Je ne la sens pas cette forêt, elle ne me dit rien qui vaille. Et puis, ces traces de pas, tu les as vues ?

— OUAIS ! et puis après ? fait-il…

— Je ne sais pas pour toi, mais en ce qui me concerne, plus de cinq orteils pour moi, ça signifie DANGER ! essaies-tu de lui expliquer. Je crois que nous devrions voter pour savoir si nous allons passer par là…

— VOTER ! Non mais qu'est-ce que c'est que cette blague ? demande Marjorie. Nous n'avons jamais voté auparavant. Et pas une seule fois les Téméraires ont reculé devant l'inconnu…

— Eh bien, dorénavant, devant un grand danger probable, nous allons voter, lui fais-tu comprendre. Qui vote pour que nous empruntions le sentier dans le bois ? »

Comme tu t'y attendais, Jean-Christophe lève la main. Il reste Marjorie. Si elle lève aussi la main… tu auras perdu et tu devras les suivre sur ce… LUGUBRE ET DANGEREUX SENTIER !

Rends-toi au chapitre 92.

100

Mais tu n'as pas le temps de lever un pied qu'une des gargouilles bat frénétiquement des ailes et se jette sur toi. À la dernière seconde, tu te jettes par terre pour éviter d'être touché par ses crocs meurtriers. Tes deux amis courent vers l'entrée du mausolée. Lorsque tu te relèves pour faire de même, la deuxième gargouille saute de la corniche et atterrit juste devant toi et te barre la route. Derrière, l'autre a fait demi-tour et revient à la charge.

FLAP ! FLAP ! FLAP !

Que vas-tu faire… TU ES TOMBÉ DANS UNE SOURICIÈRE !

Tes amis arrivent finalement à l'entrée du mausolée, mais se butent à des portes verrouillées. Jean-Christophe essaie désespérément de les enfoncer avec l'épaule. Marjorie ne sait plus quoi faire. Elle réfléchit un peu, puis finit par te lancer le super pistolet. Tu l'attrapes, tu mets en joue la gargouille et tu appuies sur la détente. Vas-tu réussir à l'atteindre ? Pour le savoir…

… TOURNE LES PAGES DU DESTIN et vise bien.

Si tu réussis à l'atteindre de plein fouet, va au chapitre 81.

Par contre, si tu l'as ratée, va au chapitre 51.

101

RATÉ ! Tu essaies d'appuyer une seconde fois sur la détente, mais le pistolet s'est enrayé. Derrière, d'autres loups quittent leur socle à roulettes et reprennent lentement vie. Vous vous écartez d'eux, mais d'autres bruits de paille surviennent, et trois corbeaux s'envolent de la cheminée. Tu t'écartes de leur trajectoire, car ils fonçaient sur toi avec leurs grands becs ouverts et tranchants comme des lames de rasoirs.

La tête d'un énorme ours noir se tourne vers toi, et sa gueule toute dentée crache vers toi un gémissement presque humain. GARODRATOM !

Vient-il de te parler ? Voulait-il vous prévenir de quelque chose ?

La meute de loups contourne un tigre et un lion qui eux aussi se réveillent d'un long sommeil au pays des morts… Vous sautez tous les trois sur les socles à roulettes des loups pour les utiliser comme planches à roulettes. Vous foncez vers la sortie et vous réussissez à atteindre le grand hall du château… De l'autre côté de deux grandes portes bordées de vieilles armures rouillées qui soutiennent des haches… C'EST LA SORTIE ! Au moment où vous franchissez le seuil de la porte CHLING ! CHLING ! les haches se rabattent sur vous. Votre aventure vient d'être coupée… RAIDE !

... FIN

102

De l'autre côté du pont, vous contemplez la lave bouillonnante dans laquelle vous avez failli tomber et griller comme des saucisses. Vous poussez de toutes vos forces la lourde porte qui grince sur ses gonds.

CRIIIIIIIIIII !

Vous découvrez, derrière elle, le soubassement d'un très vieux château maintenant abandonné. Il n'y a qu'un château à Sombreville, et c'est celui des Dratom. Il vous suffit de sortir de cet endroit, et vous serez de retour chez vous en moins de deux. Mais pour toi, tout cela a l'air… TROP FACILE !

Vous escaladez un escalier sombre qui monte en colimaçon. Tu voudrais te diriger en t'aidant des murs, mais ils sont humides et même gluants, BOUARK !

Devant vous, un éboulis bloque l'escalier. Jean-Christophe parvient à le dégager assez rapidement. La voie libre, tout en haut de l'escalier, vous parvenez enfin à une pièce. Dehors, la lune brille. Tu sens tout à coup comme une présence, du genre monstres pas gentils… Autour de vous, tu découvres de grandes silhouettes dans le noir.

Au chapitre 107… VITE !

103

Tu essaies de convaincre tes amis de ne pas suivre ce sentier en leur bredouillant quelques explications, mais rien à faire, vous avez voté. Bon joueur, tu les suis à regret. Le sentier débouche sur une clairière illuminée par la lune bleue. Au centre de la clairière niche un petit temple très ancien et oublié. Il est entouré d'une curieuse rivière mauve qui ne cesse de tourner.

Vous empruntez la petite embarcation et, en quelques coups de rame, vous vous retrouvez sur l'autre rive, au chapitre 56.

104

Devant vous apparaît le grand trou noir de la profonde gorge. Vous foncez vers elle. À deux mètres du grand gouffre, vous sautez de vos scooters comme font les cascadeurs des films d'action. Vos scooters plongent dans le vide. Vous faites quelques tonneaux sur le sol et vous vous agrippez juste à temps au rebord rocheux. Les trois scooters s'écrasent sur les roches et explosent, **BRAOOUM !**

« FIOUUUUU ! » faites-vous, les deux pieds ballants dans le vide.

Au-dessus de votre tête, deux squelettes essaient de mettre les freins, mais il est trop tard. Leurs pneus glissent sur la roche, et ils vont eux aussi s'écraser tout au fond de la gorge. **BRAOOUMMMM !**

Sur la terre ferme, d'autres squelettes en scooters s'amènent. Une vive discussion les anime jusqu'à ce que l'un d'eux élève soudain la voix et leur ordonne de se taire. C'est sans doute le chef de la bande. Il s'approche du rebord du gouffre et regarde les débris enflammés des scooters qui brûlent en bas. Va-t-il vous apercevoir, suspendus là ? Pour le savoir…

… TOURNE LES PAGES DU DESTIN.

S'il vous a vus, allez tout droit au chapitre 25.
Si, au contraire, il ne vous a pas aperçus, allez au chapitre 60.

105

En plus, cette partie du cimetière est un vrai labyrinthe… Comment éviter les morts vivants et le monstre gluant ?

Observe bien cette illustration du cimetière et ensuite rends-toi au chapitre qui, tu crois, te conduira loin de ces créatures assoiffées de chair humaine, TA chair humaine en fait…

106

Impossible de trouver l'interrupteur. Vous décidez de remonter pour aller chercher un autre flambeau. Une fois encore, à mi-chemin dans l'escalier, il s'éteint lui aussi. Pas question de lâcher ! Tu retournes en chercher un troisième, et la même chose se produit. Là, ça commence vraiment à te tomber sur le système. Tu vas en chercher un quatrième et un cinquième : même chose. Mais toi, tu as la tête dure. Tu vas jusqu'à retourner chez toi pour aller chercher une lampe de poche avec des piles neuves.

Au milieu de l'escalier, qu'est-ce qui arrive ? La même chose qu'avec les torches… Qu'est-ce que ça veut dire ? C'est comme si rien ne pouvait fonctionner à ce point précis de l'escalier. Tu descends quelques marches et, comme par magie, ta lampe se rallume. Il n'y a qu'un endroit où il peut se produire un tel phénomène, c'est lorsque vous passez le centre exact et précis de la terre ou plutôt le point mort de la terre.

« C'est impossible, s'exclame Marjorie incrédule. Il faudrait descendre des milliers et des milliers de marches sous la croûte terrestre. Nous en avons à peine descendu une vingtaine… »

Allez au chapitre 13.

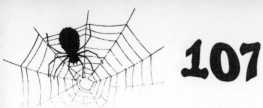

Marjorie tire les rideaux poussiéreux d'une fenêtre pour faire de la lumière. PAS DE PANIQUE ! Ce ne sont que les trophées de chasse des Dratom. Des ours, des loups, des corbeaux ! Enfin, des tas de bestioles bourrées de paille... Ces animaux ont beau être morts, il te donnent tout de même des frissons dans le dos.

Vous traversez la salle en jetant des coups d'œil ici et là. Pour quitter cette salle, vous devez traverser une meute de loups immobiles. Soudain, survient un terrifiant bruit de paille chiffonnée... UN DES LOUPS VIENT DE TOURNER LA TÊTE !

L'animal te fixe méchamment. Ses yeux ne sont en fait que des billes, mais ses dents bien pointues sont bien réelles. Il lève une patte, puis une autre. Lentement, il se dégage de son socle. Marjorie, qui portait en bandoulière ton super pistolet, te le remet en tremblant. Vas-tu réussir à l'atteindre? Pour le savoir...

... TOURNE LES PAGES DU DESTIN et vise bien.

Si tu réussis à l'atteindre, va au chapitre 71.
Par contre, si tu l'as raté, va au chapitre 101.

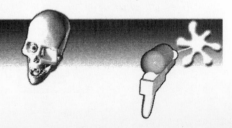

108

Dehors, Marjorie applaudit la prestation de son frère Jean-Christophe qui, suspendu à la grande aiguille… A RÉUSSI À STOPPER L'HORLOGE !

« EH BIEN ÇA, C'EST LA MEILLEURE ! lui cries-tu d'en bas. Tu peux descendre maintenant, c'est terminé, les scooters démoniaques. Nous n'avons plus rien à craindre de ce côté.

— ET GOR DRATOM AUSSI ? te dit-il d'en haut.

— PFUUIIIT ! DISPARU ! lui réponds-tu. En fait, il s'est transformé en grosse mâchée de gomme d'une saveur que je ne veux point goûter.

— Attends que les journalistes du *Sombreville News* apprennent comment tu t'y es pris pour arrêter l'horloge. Ils vont te poser des tas de questions…

— Ouais ! fait-il, pas trop certain de vouloir répandre la bonne nouvelle. Des tas de questions… SUR MON POIDS ! »

FÉLICITATIONS !
Tu as réussi à terminer…
Scooter terreur !

DOSSIER

Prénom : Marjorie

Surnom : Estelle
(J'vous conseille de vous éloigner après l'avoir appelée comme ça)

Âge : 230 années galactiques (dix années terrestres)

Grandeur : 1 m 32

Poids : ne veut pas le dire à l'œil, je dirais ; 39 kg.

Passe-temps favori : surveiller le quartier et dessiner des monstres sur son ordi.

M
A
R
J
O
R
I
E

SES RÊVES...

Un jour, elle aimerait bien posséder un scooter. Et aussi, plus tard, écrire ses mémoires. Mais là, pas question ! s'objecte Richard Petit. Vous vivez les aventures, et moi je les écris, c'est notre marché, qu'il lui dit toujours.

CONSEIL À SUIVRE SI TU LA RENCONTRES UN JOUR

Si jamais tu vas la voir dans son petit laboratoire, prends tes distances. Elle est assez dangereuse, merci, la Marjorie, lorsqu'elle tripote ses éprouvettes et ses cornues. Les éclaboussures de ses dégoûtantes mixtures tachent même la peau, et ce, pour toujours, comme un vrai tatouage. Aimerais-tu ça avoir des petits points bleus dans le visage pour le reste de ta vie ? NON ! Ben attention…

AUJOURD'HUI

Ces temps-ci, une grande question tracasse Marjorie : s'il est vrai que les esprits des morts existent et qu'ils nous suivent partout, alors sont-ils aussi avec nous lorsque nous sommes à la toilette ?

DOSSIER

Prénom : Jean-Christophe

Surnom : Pof (Ça n'a rien à voir avec les cigarettes)

Âge : 276 années galactiques (douze années terrestres)

Grandeur : 1 m 48

Poids : 45 kg

Passe-temps favoris : jeux vidéo, films d'horreur et planche à roulettes. Un vrai ado, quoi.

JEAN-CHRISTOPHE

PROJETS D'AVENIR

Chaque fois que quelqu'un lui demande : « Qu'est-ce que tu projettes de faire plus tard, Jean-Christophe ? » il se gratte un peu la tête, puis il va chercher le télé-horaire…

SA GRANDE RÉUSSITE

Jean-Christophe se vante souvent d'avoir trouvé, à lui seul, la réponse à une des plus grandes questions de la vie : pourquoi ? Cette question, à laquelle même les plus grands cerveaux de l'histoire n'ont même pas pu répondre. Sa réponse : parce que.

AUJOURD'HUI

Jean-Christophe fait des trucs assez bizarres ces temps-ci. Par exemple, aujourd'hui, il a fait quelque chose qu'il ne fait jamais : en passant devant sa chambre, tu as remarqué qu'il était en train de s'admirer dans un miroir. Il y a peut-être un rapport avec le fait qu'une nouvelle fille vient d'emménager dans le quartier. Marjorie l'a questionné sur son étrange comportement, et il lui a répondu : « Va voir ailleurs si j'y suis. » Elle est alors allée dans le garage pour voir… ET IL Y ÉTAIT !

DOSSIER

COLLE ICI TA PHOTO

Ton prénom : _____

Ton surnom : _____

Âge : _____

(As-tu découvert comment calculer ton âge galactique ?)

Ta grandeur : _____

Ton poids : _____

Tes passe-temps favoris : _____

_____

_____

TES RÊVES :

_____
_____
_____
_____
_____

AS-TU UNE GRANDE RÉUSSITE, TOI AUSSI ?

_____
_____
_____
_____
_____

CES TEMPS-CI, TU FAIS QUOI ?

_____
_____
_____
_____
_____

NE MANQUE PAS
TA PROCHAINE AVENTURE :

NAUFRAGÉS
SUR
CRÂNÎLE